밥은 먹고 다니냐는 말

농촌사회학자 정은정의

밥과 노동, 우리 시대에 관한 에세이

정은정 지음

한티재

나뿐만 아니라 많은 이들이 가장 많이 듣고 자란 말은 "밥은 먹었느냐"라는 말일 것이다. 특히 어린 날 방학이 오면 엄마는 철든 언니들과 오빠에게 막내인 내 밥을 꼭 챙겨 주라는 당부를 남기고 일을 나가곤 했다. 특별한 기술 없이 무작정 상경을 해서, 아버지보다 엄마가 먼저 취업에 성공하셨다. 사탕공장이나 봉제공장 같은 곳들이었는데 워낙 임금 수준이 낮아 비숙련 여성 노동자들의 손이 필요했기 때문이다. 엄마는 기혼의 비숙련 여성 노동자가 되어 점심밥도 주지 않는 공장에 다니셨다. 그래서 그 짧은 점심시간에 집으로 오셔서 대충 물에 밥을 말아 드시곤 했다. 너무도 쓸쓸한 당신의 밥상이었다.

그런데 초등 저학년인 내 등하교 시간이 엄마의 점심시간과는 맞지 않아 난감했다. 1980년대 도시는 팽창하고 교실은 모자라 저학년의 경우 2부제 수업을 했다. 내가 오전반 수업을 마치고 오면 엄마는 이미 점심시간이 끝나 공장으로 간 시간이어서 점심을 혼자 먹어야 했다. 반대로 오후반 수업일 때에는 등교 시간이 엄마가 점심을 드시러 오기 전이어서 혼자 먹고 학교에 가야 했다. 엄마는 내가 초등학교 3학년이 되어 도시락을 싸게 되니 차라리 편하다 하셨다. 적어도 어린아이가 혼자 밥을 챙겨 먹는 일에서는 벗어났기 때문이다. 나는 몇 가지의 짠 반찬과 전기밥솥에 덜어 둔 '스뎅 공깃밥'을 꺼내 점심을 차려 먹었다. 초등 저학년인 딸이 가스불을 당겨 국을 데우거나 계란이라도 부치는 것은 기특하고 철든 행동이 아니라 부재중인 모성의 불안을 더욱 부추기는 일이었을 뿐이다. 그래서 어린 내가 혼자 받는 밥상은 여름날 오이냉국이나 겨울 동치미 국물 말고는 국도 찌개도 올려놓지 못하는 마른 밥상이었다.

나도 일하는 엄마로 살면서 아이들에게 가장 많이 묻는 말이 "밥은 먹었느냐"이다. 35년 전 공장으로 비닐하우스로 돈을 벌러 다니던 우리 엄마보다 더 배우고 소득도 분명 높건만, 소생을 거둬 먹이는 숙명은 같다. 나도 마른 밥상을 차려 놓는 일이 잦은데, 그런 밥상을 차려 놓고 돌아서는 마음 구멍에 종종 찬바람이 깃든다. 그나마 시절이 좋아져 아이들에게 입맛 당기는 배달 음식도 시켜 먹으라 종종 돈도 쥐여 줄 수 있지만, 끼니를 놓치지 않게끔 신경을 곤두세우는 것만으로도 삶이 버거울 때가 있다.

여기에 밥에 대한 다른 물음이 더 있다. "밥은 먹고 다니냐?"는 말은—영화 〈살인의 추억〉에서 송강호의 말투를 따라 한다면—"사람 맞느냐?"라는 센 질문이기도 하다. 사람이란 무엇인가를 묻는다면 감히 '밥을 먹는 자'라고 답하고자 한다. 불로 밥을 해 먹으면서 인간은 진화를 거듭해 왔다. 먹어야만 살아남는 숙명이야 짐승이나 사람 모두 매한가지이지만, 인간은 생존과 존엄, 그 모두를 갖추어 먹어야 하는 식사의 존재다. 먹이가 아닌 밥을 먹기 때문에 인간의 삶으로 나아온 것이며, 밥을 통해 사랑과 질투를 느끼고 협력과 경쟁을 배우며, 사람의 꼴을 갖추며 살아왔다. 그러니 밥은 먹고 다니냐는 말은 밥 먹을 자격은 갖추고 사는지를 묻는 매서운 질문이기도 하지만, 이 질문 앞에서 서성댈 수밖에 없다. 우리가 먹는 밥에 과연 인간성이 깃들어 있는지를 곱씹어 보면 끝내 미궁 속이기 때문이다. 사람과 자연 모두가 상처 받은 밥상을 무람없이 받아 들고 입만 흥겹고 배만 두둑해진 것은 아닐까.

미욱한 이 책에서 저 두 가지의 밥 이야기를 적었다. 마른 밥상이든 진 밥상이든 누군가의 밥을 차려 내야 하는 생의 의무를 떨치지 못한 고군분투의 흔적이다. 여기에 농촌사회학 연구자랍시고 어려운 농촌 형편을 내다 팔아 밥을 벌고 있는 내 불충을 적었다. 지난 몇 년 글을 써서 나는 고기 한 점 더 집어 먹었지만 정작 돼지 치고 나락 농사 짓는 이들의 삶은 진척되지 않고 있다. 숯을 피워 고기를 구워 파는 가게 사장님들 형편은 어제도 오늘도 눈이 맵다. 이 복판에서 먹고 마시는 일에 대해 말하고 쓰는 일을 삼가야 마땅하지만 외려 장황한 말들을 늘어놓고 살았다. 다만 지금 적어 두지 않으면 흩어져 버려 영원히 없던 사연들이 될까 싶어 동동거리는 마음이었으니 부족함과 넘침, 그 모두를 헤아려 주기를 감히 부탁 드린다.

인생 초년에 병으로 엄마를 잃어 조금은 쓸쓸하게 살았다. 그런데 지난해에는 친동기간마저 여의고 밥 먹는 일조차 버거워질 즈음 이 글을 묶게 되었다. 무너지지 않으려 버둥거리다 보니 이렇게 무용지물을 내놓는다. 지난 몇 년 여기저기 흩어 놓았던 글들을 모아 조금씩 손을 대기도 하고 새로 쓰기도 하였다. 하나 손을 댈수록 뜻은 흐려지고 자기 핑계만 또렷해지고 말았다. 그래도 길을 터 주신 도서출판 한티재의 오은지 대표와 변홍철 편집장, 변우빈 편집자의 넉넉한 등에 기대어 감히 엄두를 내었다. 부끄럽고 고마울 따름이다.

끝으로, '밥은 먹었느냐'는 말과 '밥은 먹고 다니냐'는 말, 그 사이 어디쯤에서 헤매는 이들과 함께 이 글을 나누고 싶다. 무엇보다 농민과 자영업자들이 내 글의 독자가 되길 바라며 써 온 글들이다. 하지만 독자로 염두에 두었던 이들은 하루가 길고 버거워 정작 이런 글에 눈길을 줄 여력이 없다는 것도 취재를 통해 알았다. 짬이 난다면 관공서 일을 보거나 잠깐이라도 눈을 붙이는 삶이기 때문이다. 이런 근면하고 성실한 이들을 마음으로나마 응원하고자 이 글을 묶는다. 혹여 지나가다 누군가라도 이 책을 들춰 보다 세상의 모든 먹거리는 농촌과 사람이 촘촘히 엮여 있음을 어렴풋하게나마 느낀다면 더할 나위 없겠다.

이 책을 사랑하는 나의 여인들, 엄마 박성일, 언니 정비아 영전에 소지 한 장으로 태워 올린다.

2021년 포도의 계절에,

남양주에서 정은정 씀

차례

1부 당신의 밥상

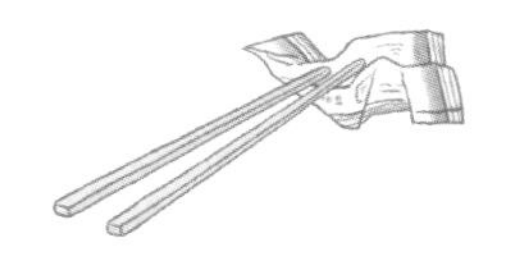

2부 사람이 온다

3부 심고 거두는 일

4부 생명의 무게

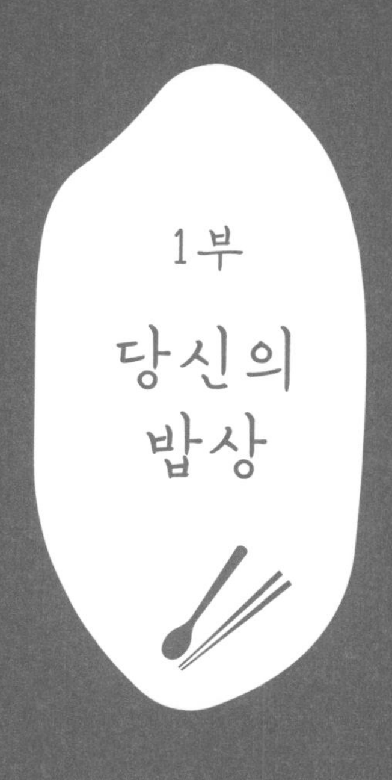

1부

당신의 밥상

•

•

•

음식은 2인칭이자 타자 지향적이다. "먹고 싶은 것 있어?"라고 물어 주는 말만큼이나 사람을 위로하는 말이 또 있을까. 밥상을 차리는 일도 나를 위한 것이기보다는 다른 이들을 위해 차리는 때가 더 많다. 사랑하는 가족을 위해 차리는 밥상도 있지만 음식을 만드는 일에 종사하는 조리 노동자들에게 음식이란 늘 타인을 향해 있다.

혹자는 자기 자신을 사랑하라며 혼자 먹는 식사여도 잘 갖춰 차려 먹으라는 말을 하곤 한다. 주로 자기 계발을 촉구하는 이들이 그렇게 말한다. 하나 음식이 어디 차려 먹는 데서만 끝이 나던가. 식재료를 구해 다듬고 씻어 조리하는 과정을 거치고 나면 먹는 일은 잠깐. 설거지와 음식물 쓰레기 처리가 남는다. 균형 있는 식단을 짜고 여기에 정성스러운 요리까지 할 시간과 돈이 모자란 이들에게 자신만을 위한 밥상 차리기는 너무 먼 나라 이야기다. 먹거리를 생산하는 농촌의 밥상 차리기도 고되기는 마찬가지다.

식사를 갖추기 어려운 이들이 고립된 식사를 하지 않도록 하는 것이 그 사회의 역량이다. 지난 20여 년 논쟁을 거듭하면서도 자리를 잡은 학교급식의 발전 과정만 본다면 사회의 힘이 약하지만은 않다. 이 힘을 믿어야 한다.

형편에 따라 너무 차이 나지 않게 그럭저럭 골고루 갖춘 밥상을 함께 받는 세상을 위해, 차갑고 서러운 타인의 밥상을 살펴보는 일이 먼저였다.

포도의 계절에 부쳐

과일이 한창 맛있는 계절이 보통 여름이라 여기지만 막상 여름에 먹을 만한 과일은 없다. 날씨가 너무 뜨겁고 눅눅하다. 참외나 수박, 토마토와 같은 과채류가 풍성해도, 과실수에서 열리는 과일은 여름에 뜨거운 햇볕을 잔뜩 머금고 비로소 가을에 맛있어진다. '오곡백과'가 무르익는 가을에 접어들면 그때 비로소 모든 맛이 제대로 든다. 하지만 이 또한 옛날이야기다. 농업의 계절은 뒤틀려 여름에도 귤을 먹는 세상이고 딸기의 제철은 이제 겨울로 옮겨졌다. 게다가 슈퍼마켓에 가면 사시사철 손쉽게 집어들 수 있는, 다국적기업의 상표가 붙은 오렌지나 바나나, 체리 같은 수입 과일이 즐비하다.

지금은 양력으로 행사를 대부분 치르지만 여전히 우리 민족의 삶에 양력으로 대체할 수 없는 시간들이 있다. 설날과 추석 명절, 망자의 기일이나 어른들의 생일, 석가탄신일 같은 날은 음력을 기준으로 삼는다. 양력과 달리 음력의 시간은 고정된 시간이 아닌 것처럼 느껴진다. 윤달이라는 어려운 계산까지 끼어들면 더욱 갸우뚱한 음력의 시간.

새해 첫날에는 집안의 굵직한 음력 행사를 수첩에 적어 두는 일로 한 해를 시작한다. 엄마 제삿날이나 아버지 생신 같은 날 말이다. 아직도 우리 가족들은 음력으로 생일을 챙긴다. 어릴 때는 아예 양력 생일이 언제인지도 몰랐다. 훗날 음양력 변환 프로그램을 통해 양력 생일을 알아낼 정도로 철저히 음력 중심의 삶을 살았다. 그래서 어릴 때 매번 내 생일은 언제냐, 언니들 생일은 언제냐고 묻곤 했다. 하나 한글도 못 뗀 내게 날짜를 알려 준들 소용이 없겠다 싶었는지 엄마는 사남매의 생일을 모두 과일이나 먹거리로 빗대서 말씀해 주셨다.

음력 2월생인 오빠의 생일은 보통 양력 3월 중순 넘어서나 4월에 돌아오는데 엄마는 “딸기가 한창일 때 오빠 생일이여”라고 알려 주었다. 그 시절 딸기는 노지 딸기로 봄의 전령사였다. 하지만 이제 노지 딸기 만나는 일은 거의 불가능하고 한겨울이 제철이다. 그래서 엄동설한이기도 한 설날 차례상에 딸기를 올리는 풍경을 자주 보게 된다. 지금도 기억나는 것이 오빠가 자기 생일을 며칠 앞두고 홍역을 크게 앓자 엄마가 노지 딸기를 함지

박 한가득 사 가지고 와서 딸기라도 먹어 보라며 천불이 났을 오빠의 속을 달래던 장면이다.

음력 7월 말이 생일인 작은언니는 포도의 계절에 태어났다. 양력으로는 9월 15일에 태어났고 포도에 맛이 꽉 들어찼을 때다. 요즘은 포도가 여름 과일이라 생각하지만 늦여름부터 가을까지 가장 맛있는 과일이다. 그래서 포도가 나올 때 작은언니 생일이려니 하고 살았다. 마침 근처 충청도 산골에서 포도 농사를 짓던 이모네서 포도를 가득 실어와 손톱 밑이 까매지도록 먹곤 했다.

하지만 그렇게 계절에 맞춰 무언가를 우물우물 씹던 호시절도 도시로 오면서 끝이 났다. 엄마는 공장에 다니느라 늘 바빴고 우리 사남매는 알아서 도시의 아이들로 커 가느라 계절 따윈 잊고 지냈다. 그러던 어느 날 저녁, 저녁을 먹다가 엄마가 작은언니 생일을 까먹고 그냥 넘겼다는 것을 깨닫고는 급하게 시장에서 포도를 사 오셨단다. 그리고 언니에게 엄마는 바쁘고 정신이 없으니 포도가 나오면 네 생일이려니 하고 꼭 몇 번 말을 하라 시켰단다. 작은언니도 자신의 음력 생일이 어떤 날에 걸리는지 몰랐던 나이였다. 그래서 엄마 돌아가시고 포도만 보면 눈물이 났었다는 작은언니의 얘기를 얼마 전에 처음 들었다.

큰언니는 음력 9월생. 양력으로는 가수 이용의 노래 〈잊혀진 계절〉에 나오는 10월의 마지막 밤에 태어났다. 타작하는 날 태어나서 다들 무척이나 바빴고, 산달만 알고 있을 뿐 언제 낳을지 알 수 없어 일꾼들 밥을 하다가 낳았다 한다. 큰언니는 가을 닭띠에 타작하는 날 태어나서 먹을 복은 많을 것이라는 이야기를 들으면서 자랐다. 실제로 쌀도 많이 나고 밤과 감이 맛있을 때가 큰언니 생일이다. 하나 돌이켜 보면 큰언니는 동생들 건사에 늘 손에 든 먹을거리들을 씻어 다듬고 볶고 지지는 사람이다. 먹을 복이 아니라 먹일 복을 타고난 사람이다.

나는 음력 10월, 양력으로는 11월 말이자 겨울 초입인 소설小雪에 태어났다. 그날은 우리 집 김장을 하는 날이었다. 김장독을 묻고 안방에서 태어났다 한다. 큰언니는 내가 태어나는 날 오빠와 작은언니를 건넌방에서 꼭 붙들고 밖에 나가지 말라며 단속을 했다. 오빠와 작은언니는 엄마가 죽으면 어떻게 하느냐며 무서워서 울었고, 큰언니는 동생이 태어날 것이라는 걸 알아서 울지 않고 막내인 나를 기다렸다 한다. 사람은 자기가 태어난 날을 기억하지 못하고 누군가의 증언을 통해 이야기를 듣는다. 그래서 오로지 혼자인 인생은 없다. 예수님도 자기 태어난 날은 마리아 엄마와 요셉 아빠를 통해 "마구간에서 널 낳느라 무척이나 애를 먹었어!"라는 이야기를 들으면서 자랐을 것이다. 나도 늘 김장하는 날에 태어난 탄생 설화(?)를 듣고 자랐다. 그래서 나는 가족들에게 김장 김치로 기억되는 사람이다.

어느 날 병원에서 지내던 작은언니의 "엄마가 끓인 무수(무)

국이 먹고 싶어"라는 말에 주섬주섬 기억을 주워 담아 그대로 끓여 갔다. 엄마가 끓인 뭇국은 단순하다. 충북 내륙이어서 비린 육수를 내지도 않고, 육고기는 비싸 이름 붙은 날에나 먹는 줄 알았으니 육수를 내자고 고깃근을 끊어 오지는 않는다. 대처로 나와서는 가난하고 바쁜 시절 육수를 따로 낼 엄두도 못 내니 엄마의 비법은 약간의 화학조미료였다. 무를 연필 깎듯 삐져서 들기름에 고춧가루와 함께 달달 볶다가 맹물을 부어 부르르 끓인 그 맹맹한 맛의 뭇국을 언니는 말하는 거였다.

작은언니는 어릴 때 먹던 호박 국수나 찹쌀 말고 멥쌀로 찐 퍼석한 시루떡, 식구가 많아 일일이 반죽을 뜯어낼 여력이 없어 질게 반죽해 숟가락으로 뚝뚝 끊어 낸 물컹한 수제비, 세 자매가 다니던 여고 앞에서 파는 희어멀건한 떡볶이, 시장 빵집에서 팔던 싸구려 사라다빵 같은 그런 음식들이 먹고 싶다 했다. 그래서 오랜만에 그 시절 먹었던 '맛없는 맛'의 음식들을 열심히 흉내 내서 병원으로 실어 날랐다. 타고난 솜씨가 워낙 없어 절묘하게 '맛없는 맛'을 그대로 재현해 내서 요리사인 큰언니를 제치고 내 음식을 찾던 작은언니의 모습에 뿌듯하기도 했다.

작은언니의 장례식장 음식을 형부와 함께 정했다. 언니는 자기 죽으면 장례식장에서 지겹게 먹을 텐데 미리 먹기 싫다며 육개장은 싫다 했다. 그래서 쇠고기뭇국으로 정했다. 쇠고기가 들어가는 국은 우리 집에서는 제사나 차례 같은 이름 붙은 날 먹던 귀한 국이어서 특식과도 같았다. 떡 좋아하는 언니 먹인다고 형부가 사 온 떡은 뜯어 보지도 못한 채 언니가 떠났다. 상례떡은 그날 먹지 못했던 절편으로 정했다. 과일은 형부가 망설이지도 않고 포도로 정했다. 형부도 언니에게 포도가 어떤 의미인지 잘 알고 있었던 모양이다. 그렇게 자기 생일을 보름 앞두고 포도의 계절에 태어난 작은언니는 포도의 계절에 떠났다.

인간이란 실체를 정의하자면 살아오면서 먹은 음식의 총체이다. 음식은 오로지 물리적 맛과 영양, 칼로리의 총합만을 뜻하는 것이 아니다. 개개의 모든 음식에는 정치, 사회, 문화, 그리고 자연의 변천까지 망라되어 있고, 여기에 개인의 기억과 사연까지 깃들어 있다. 포도가 보통의 과일이 아니라 어느 한 여인과 그 가족들의 사랑과 그리움이 담긴 그 무엇이었던 것처럼. 하여 오늘 우리의 입으로 쓸려 들어가는 지상의 모든 음식들이 무겁고 복잡하며 귀한 이유가 여기에 있다.

소년의 차가운 밥상

지옥에서 보내는 한철이다. 한 달여의 방학 동안 급식이 없으니 아이들 밥을 해 대느라 괴로운 엄마들끼리 이를 두고 '세끼 지옥'이라 부른다. 잘 해 먹이든 아니든 자녀의 끼니를 책임지는 것은 결코 쉬운 일이 아니다. 그런데 방학이 끝나지를 않고 있다. 코로나19로 아이들은 학교에 가지 못한 채 일 년이 넘어가고 있다. 엄마인 나는 온라인 개학 말고 '진짜 개학'을 기다리고 있다.

인터넷 포털이나 소셜미디어에서 방학 중 결식아동에 대한 후원을 호소하는 구호단체의 광고를 많이 볼 수 있다. 아이들 얼굴은 모자이크 처리를 하거나 대역을 쓰면서 그 외롭고 쓸쓸한 방학의 풍경을 비춘다. 여름방학, 겨울방학이 거의 비슷한 콘셉트이다. 바뀌는 것은 반팔과 긴팔 옷일 뿐.

또래의 어린이들이 가난을 재현하고 연기한다는 것은 부당한 일이다. 그렇지만 어려운 이웃들을 위해 기꺼이 지갑을 여는 사람들이 있어 세상은 아직까지 망하지 않고 버티는 것일지도 모른다. 시스템만 비판할 뿐 작은 선행이나 기부도 하지 않는 이들이 이 세상을 바꿀 수 없다.

'결식아동'의 범주는 18세 미만의, 고등학생 나이의 청소년까지 포함하지만, '아동'이란 말에 갇혀 대개 어린이만을 상상한다. 결식아동·청소년은 2015년 보건복지부 공식 통계로는 35만여 명. 하지만 시민단체나 각종 통계를 추산해 보면 상시 결식아동은 68만 명. 그중에서도 방학 중 결식아동은 41만 명 정도이다. 방학 중 외려 결식아동이 줄어드는 이유는, 부모가 자신의 가난을 증명해서 방학 중 결식 지원을 신청해야 하지만 방학도 짧은 데다 고등학생들은 그야말로 '쪽팔려서' 그냥 굶기로 결심하는 경우가 많아서다.

한국은 어린이와 청소년을 굶주림에 방치하는 비정한 사회는 아니다. 방학 전 공문을 대대적으로 띄워 결식아동은 물론 급박한 가정 상황으로 결식 상태가 예상되는 경우에도 지원한다. 사각지대를 적극 '발굴'하라는 지시도 떨어진다. 문제는 방학 중에 결식을 메우는 방식이다. 지역아동센터를 통해 급식이 이루어지거나 도시락을 배달해 주기도 하지만, 많은 경우 G드림카드나 꿈나무카드 등의 이름으로 불리는 결식지원카드를 제공한다. 이 카드로 지정된 장소에 가서 회당 4천 원에서 5천 원 이내의 음식을 구매할 수 있다. 액수의 차이가 나는 이유는 각 지자체마다 형편이 달라서다. 분식집이나 중국요릿집 같은 곳도 지정되어 있지만 동네 곳곳에 있는 편의점이 가장 많이 지정돼 있다. 심지어 이번 코로나19로 문을 닫는 식당도 많아 꼼짝없이 삼각김밥과 컵라면, 음료수 등으로 절묘하게 가격을 맞춰서 한 끼를 넘긴다. 점심엔 참치마요 삼각김밥, 저녁엔 불닭 삼각김밥, 이런 식이다. 일회 사용 액수를 제한해 놓은 것은 극소수 몰지각한(?) 아동의 '급식카드깡' 사례가 있었고, 부모들이 두 끼 분량을 한 번에 모아서 애먼 것을 구입할 우려가 있어서다. 이 지원비는 엄연히 힘없는 아동만을 위해 존재해야 하므로.

다시 인간의 식사를 생각한다. 무엇을 먹을지 결정하고 함께 이야기를 나누며 신체와 영혼의 칼로리를 채우는 것. 그것이 엄연한 식사다. 그러나 지금 한국의 어린이와 청소년, 그리고 청년들은 5천 원 안짝으로 오로지 열량을 좇느라 허기진다. 어릴 때는 어른들이 편의점에나 가라 하고, 청년이 되어서는 돈이 모자라 스스로 편의점을 찾아가야 한다.

아동 인구 감소로 아동은 줄어든다는데 결식아동의 숫자는 줄지 않는다. 방학이 끝나야 그나마 숟가락 젓가락 들고 따뜻한 밥과 국을 먹을 수 있을 텐데, 방학이 하염없이 길어지고 있다. 소년의 밥상이 차다. 진짜 세끼 지옥은 바로 여기다.

청춘들의 삼시 세끼 보고서

삼각김밥, 컵라면, 밥버거, 바나나맛 우유, 치킨, 무한 리필 삼겹살, 편의점 도시락…….

이 정도를 쓰면 "빙고!"를 재빠르게 외칠 수 있을 것이다. 이 빙고 게임의 테마는 '20대의 식사', 아니면 '대학생들의 주요 식량' 정도면 맞춤할 것 같다.

시간강사로 주로 농업과 음식에 대해 강의를 하면서 '나의 삼시 세끼 보고서'를 과제로 내곤 했다. 자신의 음식 일지를 적고 그 음식이 오기까지의 과정을 조사하면 우리가 먹는 대부분의 음식이 글로벌 푸드 시스템에 휘둘려 있다는 것을 자연스럽게 이해할 수 있을 테니 말이다. 거기에 더해 내가 먹는 음식들의 정치와 문화적 배경도 적을 수 있다면 음식사 공부까지 저절로

될 터. 학습의 일환이긴 하지만 고백하건대 20대의 사생활을 엿보고 싶기도 했다.

과제를 내주자마자 평소 적막하기만 한 수업 시간에 질문들이 쏟아졌다. 많은 학생들이 세끼를 챙겨 먹는 일이 거의 없다는 것이다. 학교는 먼 데다 돈도 없다. 밥 먹으라 채근하는 엄마는 어릴 때부터 일터에 묶여 있으니 아침밥을 먹는 일이 무엇인지 잘 모른다. 그러고 보니 세끼를 제대로 챙겨 먹을 여력이 없는 것은 '보따리 장수'인 나도 매한가지다. 그렇게 부유하는 신분인 학생들과 시간강사가 만나 이 시대에 불가능한 '삼시 세끼' 이야기를 나누었다.

기숙사에서 생활하는 학생들은 3천 원에 억지로 '와꾸'를 맞춘 음식에 질려 굶거나 혹은 바나나맛 우유로 연명하고 있었다. 점심엔 그동안 쌓아 온 알량한 학식學識마저도 날아갈 것 같은 학식(학교 식당)에서 밥을 먹거나 학교 안에 진출한 편의점의 삼각김밥과 라면을 먹는다. 그래도 국물 없이 밥을 넘기지 못하는 한국인의 피는 면면히 이어지는지 컵라면은 필수 아이템. 가성비가 '혜자'인(배우 김혜자 씨가 모델인 모 편의점 도시락이 호평을 받으며 생겨난 표현) 편의점 도시락도 인기가 많다. 형편이 나으면 돈을 추렴해 친구들과 짜장면을 먹기도 하지만 대개는 3, 4천 원 내에서 쥐어짜야 한다.

편의점 음식이 좋은 이유는 눈치가 안 보여서이기도 하다.

'혼밥' 하기가 좋다는 것을 이유로 들었다. 여기에 덜 초라해 보인다는 이유도 들었다. 그냥 나는 바빠서 이렇게 먹고 있을 뿐이라는 것을 보여 주는 것 같아 마음이 편하다는 학생도 있었다. 이렇게 함께 먹는 일이 점점 불가능해지는 시대에 딱 맞아떨어지는 식사가 바로 편의점 식사다.

고등학생 때까지 학교급식을 먹으며 주어지는 대로 먹다가 스스로 음식을 선택하면서 어른의 시간은 온다. 하지만 돈과 시간과 공간이 부족하니 선택의 폭은 정해져 있는 편이다. 저녁은 아르바이트를 가야 하지만 가끔 술 모임을 겸해 치킨이나 무한리필 고깃집으로 몰려 간다. 먹성 좋은 청년들이 무한하게 먹을 그 삼겹살은 어디에서 오고 어디로 가는 것일까. 먹을 수 있을 때 많이 먹어 두자 싶어 '무한 리필'은 이들에게 매혹적이다. 경제가 발전하면 양보다는 질을 추구하는 사회가 도래한다는 소비 이론은 지금의 대학생들에게는 잘 들어맞지 않는 것 같다.

인간은 함께 사냥을 하고 농사를 짓고 불과 칼로 음식을 만들어 먹다 정분도 나고 서로 더 먹겠다 쌈박질도 하면서 사회를 만들어 왔다. 음식이 곧 인간이자 사회다. 그런데 이 삼시 세끼 보고서에는 인간의 길이 흐릿해 잘 보이지 않는다. 그저 먹고 버티는 삶이 펼쳐져 있을 뿐이다. TV 예능 〈삼시 세끼〉의 출연자들처럼 오로지 먹는 일만 생각하고 출연료까지 받아 가는 것이 부럽다는 문장 앞에서 내 채점이 멈칫거린다.

황혼의 밥상

어린 우리들을 한 달에 한 번 괴롭히는 일이 있었으니, 학교에서 폐품 모으는 날이었다. 바닥에 바짝 붙어 먼지를 마시며 밥을 버는 부모님은 신문을 보지 않았다. 게다가 학교에 폐품을 갖다 내야 할 형제는 많으니 어쩔 수 없이 엄마가 큰맘 먹고 청량음료 한 병씩 사 주며 그 빈 병이라도 갖다 내라셨다. 이런 가정이 수두룩했을 것이다. 당시 공중전화 부스에서 전화번호부를 뜯어 오지 말라는 학교 가정통신문도 기억난다. '88 꿈나무'인 우리더러 21세기를 책임지라면서 그 꿈나무들을 넝마주이로 내몰던 어이없는 시절이었다. 이제 그 꿈나무들은 출근길에 아파트 재활용 코너로 가서 간단하게 폐품을 던진다.

이제 넝마주이가 사라졌는가. 그것도 아니다. 폐지를 주워

한 끼를 버느라 노구를 움직이며 새벽부터 길거리를 헤매는 노인들이 200만 명 정도로 추산된다. 폐지 가격 중에서 가장 높게 쳐주는 것은 신문지이고 그다음은 박스 골판지다. 1킬로그램당 각각 100원, 80원가량. 노인 한 명이 거둘 수 있는 폐품의 양이 적어 하루 5천 원의 소득을 올리는 일도 쉽지 않다. 그나마 요 몇 년 폐지 값은 크게 폭락했다. 그래서 한 달 내내 주워도 채 10만 원을 손에 넣지 못한다.

우리 동네 한 식당은 폐지를 일부러 내놓는다. 폐지를 걷으러 온 할머니께 믹스커피 한 잔도 꼭 드리는 마음씨 좋은 갈빗집 사장님이다. 하나 그 믹스커피 한 잔은 기호식품이 아니라 할머니의 귀한 점심 한 끼이기도 하다. 식당 사장님이 밥 한 끼 대접하겠다 드시라 해도 끝내 거절하시곤 한단다. 믹스커피 딱 한 잔은 할머니의 마지막 자존심이었을까. 하지만 지금 그 갈빗집도 불황을 넘기지 못하고 문을 닫았다. 할머니의 따뜻한 믹스커피 한 잔도 그렇게 멈추어 버리고 말았을 것이다.

서울 모처의 경로당에서 이루어지는 식사를 관찰하고 기록한 소준철, 이민재의 '빈곤한 도시 노인과 지역 내 자원의 흐름'이란 연구 발표에서 본 경로당 밥상 사진은 스산하기 이를 데 없다. 밥과 김치, 계란찜, 동태찌개가 차려진 날이다. 그날은 동태 중간 토막을 누가 차지하느냐는 실랑이가 살짝 벌어져 할머니들 마음이 서로 상한 날이기도 했다. 반찬이 부족하니 밥 양은 성인 남성들이 먹는 양을 웃돈다. 사과 한 알도 정확히 등분한다. 누가 더 많은 음식을 가져가느냐가 갈등의 요인이 되곤 해서다. 결핍 앞에서 인정사정은 없다.

지자체마다 차이가 있지만 경로당에 지원하는 쌀은 읍·면·동의 경우 1년에 120킬로그램에서 140킬로그램 정도. 연구자들이 관찰한 경로당엔 평균 30명의 노인들이 이곳에서 점심을 해결했다. 필자의 아버지가 다니는 인천의 한 경로당도 30명 정도의 노인들이 점심을 드신다. 30명 기준으로 하루에 소비되는 쌀이 1.6킬로그램 정도. 그러니 저 정도 지원받는 쌀로는 100 끼니 정도를 겨우 채운다. 나머지 부족분은 각자 노력으로 메워야 한다. 종교 시설에 가서 한 끼를 때우기도 하고, 경로당 임원들은 주민센터에 쌀과 김치 지원을 요청하기도 하면서 가급적 모든 인적 네트워크를 동원해 자신의 한 끼이자 공동의 식사를 해결하느라 분주하다.

한국에는 650만 명의 노인들이 있다. 그중 절반 이상이 중위 소득에 못 미치는 빈곤 상태이다. 여성 노인의 빈곤 비율은 더 높다. 그나마 경로당에 가서 스산한 밥상이라도 받을 수 있는 노인들은 사정이 낫다고 해야 할지. 한 달에 3천 원에서 5천 원 하는 경로당 회비도 버거워 발길을 끊는 노인들도 많다. 당장 급한 것이 집세이니 오늘도 폐지를 그러모으느라 믹스커피로 한 끼를 넘기는 노인들이 곳곳에 넘쳐 난다. 이 추운 겨울, 저 어르신들의 저녁 밥상에 동태 대가리 한 토막이라도 올라갔는지 안부를 묻기조차 송구하다. 왜 하필 경로당의 경은 '공경할 경敬' 자를 붙인 것인지.

이 겨울, 온기 있는 밥상은 누가 받고 있는가. 소년과 청춘, 그리고 황혼의 밥상마저도 차다.

함께 먹으니
즐겁지 아니한가

집에서 '혼밥'을 할 때면 물에 밥을 말아 김치만 꺼내서 먹기도 하고 싱크대에 서서 먹기도 한다. 혼자 먹자고 지지고 볶는 일도 번거롭거니와 요리의 필수 과정인 설거지가 귀찮아서다. 혼자 잘 차려 먹는다 한들 결국 설거지는 내 몫이니 최대한 설거지거리를 줄인다. 그나마 식구들과 함께 먹을 때나 찌개라도 끓이고 계란이라도 부친다.

도시도 마찬가지지만 농촌은 더 빨리 혼밥 시대를 맞이했다. 자녀들은 진즉에 대처로 나갔고, 배우자 사망(주로 남편 쪽) 후에 홀로 지내는 노인들이 많아서다. 65세 이상 인구가 20퍼센트를 차지하면 초고령화 사회라 한다. 농촌은 65세 이상 고령 농민이 40퍼센트를 넘어섰다. 해마다 사망 인구가 늘어 농촌 마을은 급박하게 비어 간다. 농촌 노인 문제는 빈곤과 장애 문제가 중첩되어 있는 데다 여성화 경향도 뚜렷하다. 이는 홀로 사는 할머니들이 아픈 몸을 끌어안고 가난하게 살고 있다는 뜻이다. 사정이 이렇다 보니 농촌 노인들의 생활비에서 식료품비 지출은 80퍼센트에 육박한다. 소득이 빈곤선에 닿아 있기 때문에 그만큼 엥겔지수가 높다. 농촌경제연구원의 연구 결과를 보면, 농촌 노인들이 식사에서 느끼는 고충은 양은 물론이고 질도 떨어지는 것이라고 응답했다. 농촌에는 먹을 것이 지천일 것 같지만 이는 도시인들의 착각이다. 텃밭에서 채소 농사는 조금 지어 먹더라도 과일과 생선, 고기, 가공식품은 현금으로 사야 한다. 심지어 쌀도 사 온다. 그래서 돈이 부족하면 식단은 부실할 수밖에 없고, 여기에 혼자 차려 먹기까지 하니 밥상은 스산하기 마련이다.

다행히 몇 년 전부터 '농촌 마을 공동급식 지원사업'이 실시되고 있다. 마을회관이나 노인정에 모여 주민들이 함께 식사를 하는 일이다. 2012년부터 일부 지자체에서 농번기인 모내기 철에 취사 도우미 인건비를 지원하고 호응이 좋아 전국으로 확산 중이다. 5월 즈음은 하곡을 추수하고 과수 농사를 본격적으로 시작하는 철이기도 해서 한시적인 지원이어도 주민들의 반응은 매우 뜨겁다. 마을 공동급식은 농번기에 가사 노동 부담을 줄여주고 좀더 풍성하게 먹을 수 있기 때문이다.

한데 주민들은 의외로 '함께 먹는 재미'에 높은 점수를 매겼다. 연구자들이 수행한 후속 연구의 결과를 보면, 마을 공동급식의 좋은 점으로 '마을 주민 간 공동체성 회복'과 '혼자 먹는 외로움의 해소'의 응답 비율이 도합 60퍼센트를 넘는다.

하지만 갈 길이 멀다. 요즘 농촌에는 농한기도 없이 사시사철 농번기다. 시설재배와 축산업이 많기 때문이다. 수도작의 경우에는 가을 추수기도 농번기인데 모내기 철에만 주로 지원한다. 빠듯한 지방 재정 탓이다. 실제로 공동급식 지원을 받는 마을이 신청 마을의 절반을 채우지 못하는 지자체가 많다. 게다가 인건비만 지원되고 부식비는 마을에서 자체 조달하는 경우가 많아 식단의 질적 측면이 부족하다. 다 좋은데 '고기'도 좀 자주 먹고 싶다는 의견에는 마음이 아프기도 했다. 아무리 고기를 많이 먹는 세상이라 하더라도 아직도 농촌의 노인들은 고기를 충분히 먹지 못하고 있다.

그리고 거동이 불편해 마을회관에 나오지 못하는 주민들은 이 사업에서 배제될 수밖에 없다. 밥을 챙겨 집에까지 가져다주기에는 마을회관에 모이는 주민들도 보행기 없이 움직이기 어려운 노인들이다. 집에서 간단하게 해 먹을 수 있는 반조리식품이나 도시락 배달 같은 사업이 병행된다면, 학교급식이나 거점조리시설과 연계할 수 있다면, 그리고 식재료가 지역에서 생산된 먹거리라면 더할 나위 없을 것이다. 아이디어야 늘 넘쳐 나지만, 아쉬운 것은 돈과 사람이고 이는 곧 정치의 문제이다.

국통에 빠진 딸기라도 먹이려면

평창 동계올림픽 컬링 종목의 일본 선수들이 먹었던 딸기가 국내산 딸기로 알려지면서, 한국 딸기의 원류가 일본 딸기라는 논쟁이 잠시 불었다. '설향'으로 대표 되는 한국의 딸기 육종 기술은 매우 뛰어나다.

2017년 농촌진흥청에서 새 품종의 딸기 이름을 공모했는데, 1등의 영예는 품종의 이름으로 선정되는 것이고(가문의 영광!) 2, 3등은 온누리 상품권을 받는 즐거운 이벤트였다. 나는 '향' 자 돌림을 써서 '춘향'을 밀었고, 딸아이는 '국통에 빠진 딸기'를 꼽았다. 배스킨라빈스 아이스크림 '사랑에 빠진 딸기'의 표절 의혹이 짙지만, 학교급식에서 딸기를 집다가 실수로 가끔 국통에 빠질 때가 있어서란다. 비록 식구들 모두 떨어졌어도 한나절 즐거웠다. 새 품종 딸기 이름은 '아리향'이다.

먹거리 중에서도 과일은 위치가 독특하다. 쌀이나 고기처럼 필수 식량이라 할 수는 없지만, 비타민의 공급처인 동시에 인간에게 행복을 준다. 새콤달콤, 사각사각, 말랑말랑, 이런 예쁜 표현이 가능한 식료가 과일이다. 맛과 향기는 온 감각을 자극하고 특히 계절감을 느끼게 해 주는 데에는 과일만 한 것이 없다. 하나 집안 형편에 따라서 챙겨 먹을 수도 있고 거의 먹지 않는 것도 과일이다.

실제로 과일은 식생활의 소득 지표이기도 하다. 2017년 통계로 보면, 소득이 월평균 500만 원 이상인 고소득 계층이 가구당 월 200만 원 미만인 저소득 계층보다 과일을 2.7배 많이 먹는다. 저소득층의 가구당 과일류 소비지출액은 월평균 2만 820원인 데 비해 고소득 계층은 월 5만 5,210원 수준인 것으로 조사되었다. 빤한 살림살이에 가장 먼저 채워야 하는 것은 땟거리인 쌀과 김치일 테니 과일은 뒷전으로 밀려날 수밖에 없다.

소득은 점점 줄어들고, 수입 개방으로 과수 농가도 힘들다. 학생들은 과일을 골고루 챙겨 먹을 시간도 형편도 안 되는 경우가 많다. 그래서 해결책으로 떠오른 것이 '과일 급식'이다. 농가도 살리고 학생들의 식생활 개선에도 나선다는 취지이다. 긍정적인 평가가 나오면서 문재인 정부에서도 과일 급식 확대를 선거공약으로 내세웠지만 지지부진하다. 2021년은 국제연합UN

이 정한 '국제 과일과 채소의 해' IYFV, International Year of Fruits and Vegetables이다. 취지는, 소득과 상관없이 사람들에게 신선한 과일과 채소를 공급하고, 또 과일과 채소 농사는 농민들의 소득과 직결되기 때문에 이 문제를 세계 공통의 먹거리 의제로 삼고자 하는 것이다.

신선한 과일과 채소를 충분히 공급한다는 취지에 반대할 이들은 없다. 하지만 학교에서 학생들에게 과일 한 조각 먹이는 일은 쉽지 않다. 과일은 하늘에 매달려 짓는 농사이다 보니 일정한 당도와 고른 크기로 나오지 않아 품위에 맞는 '똑똑한 놈'만 골라내기가 힘들다. 여기에 종류별로 과일을 다양하게 먹이려면 과일을 손질할 인력이 더 필요하단 뜻이다. 급식 현장에서 가장 선호하는 과일이 귤이나 방울토마토인 이유가 여기에 있다. 씻기만 하면 학생들도 알아서 집어 먹을 수 있지만, 배나 사과 같은 과일은 씻어서 껍질을 깎아 놓으면 갈변하기도 하고 손도 많이 간다. 껍질째 먹으면 건강에 좋다고는 하지만 껍질이 있거나 색깔이 변했다는 이유로 아이들은 먹지 않기도 하고, 그만큼 버려지는 일이 많으니 말이다. 아이들도 좋아하고 맛도 좋고 몸에도 좋은 국내산 키위를 한 번 먹이자면 안 그래도 부족한 조리 인력을 빼내서 키위 손질에만 매달려야 한다. 그러면 밥을 짓는 주찬부와 반찬을 만드는 부찬부의 조리원 노동 강도가 가중된다.

뜻이 아무리 좋아도 현장이 받쳐 주지 않으면 그저 말놀이일 뿐이다. 방법은 오로지 급식 현장의 인력 확충과 노동환경 개선뿐이다. 그래야 농민도 웃고 아이들도 웃는다. 기숙사 생활을 하는 딸아이는 삼시 세끼를 학교에서 먹는다. 국통에 빠진 딸기라도 잘 챙겨 먹고 있기를.

오늘도 '사골 곰탕'입니다만

'학교급식법'은 1981년 만들어졌지만 실제로 시행된 것은 1998년이다. 위탁 급식에서 직영 급식으로, 그리고 친환경 무상 급식의 단계로 지난 20여 년간 꿋꿋하게 걸어 나왔다. 이제 학교에서는 급식 세대 교사가 급식 세대의 학생을 가르치고 있다. 여기에 친환경 농산물을 식재료로 쓰면서 질적 전환도 이뤄내고 있다. 물론 중간에 경상남도처럼 갑자기 유상급식으로 후진을 하는 등의 우여곡절도 많았다. 그러나 차별 없이 모든 어린이와 청소년들에게 점심 한 끼를 먹여야 한다는 것에 사회 구성원들이 동의하고 지지한 결과가 지금의 학교급식이다. 그리고 채식 급식 선택의 권리를 보장하는 방향으로 한 걸음 더 떼고 있다.

2011년 전북에서 도내 20개 학교를 채식 급식 시범학교로 정해 주 1회에서 월 2회 '채식의 날'을 운영해 왔다. 채식을 접한 학생들은 그 이후 채식 섭취에 더 노력한다는 결과가 나와, 이후 시범학교를 늘려 왔다. 과도한 육식 문화에 대한 우려가 그 어느 때보다 큰 지금, 많은 어린이와 청소년들이 환경문제를 심각하게 받아들이고 있다. 항간의 오해와는 달리 어른들이 시켜서가 아니라 스스로 채식을 선택하는 어린이와 청소년들이 있고, 채식 선택권 보장을 교육의 현안으로 만들어 냈다. 이에 서울, 인천, 경남, 울산 교육청이 앞서거니 뒤서거니 하면서 학교에서 채식 급식을 실시하고 있고, 한 달에 두 번 정도의 채식 급식을 제공한다. 울산교육청은 2020년 10월부터 '고기 없는 월요일'을 운영하고 채식을 원하는 학생에게 채식 급식 식단을 상시 제공하기 시작했다.

그동안 신체적 이유나 신념의 문제로 채식을 해 온 어린이와 청소년들은 급식 시간에 매번 선택의 딜레마에 빠져야 했다. 밥과 김치, 나물, 두부 정도를 선택해서 먹긴 하지만, 완전 채식 단계를 실천하는 '비건'일 경우 젓갈이 들어간 김치도, 고기 육수를 낸 국도 선택할 수 없었다. 도시락으로 끼니를 해결하기도 하지만 도시락을 가져올 여건이 안 되면 제대로 식사를 할 수 없었다. 무엇보다 유난을 떤다는 시선의 압박이 컸다고 토로한다. 하지만 이제는 채식 급식을 당당하게 먹을 수 있게 되었다.

이는 공공 급식의 메뉴 다양성 확대와 선택의 권리 보장이라는 측면에서라도 모든 급식 대상자에게 좋은 일이다. 이런 선택 보장의 요구는 군대로까지 확대되어 채식을 원하는 사병들에게 채식 메뉴를 제공하겠다는 국방부의 결정이 나왔다. 건강과 신념의 문제로 채식을 해야 하는 청년들이 군 입대를 망설이는 이유 중에 고기나 생선이 매 끼니 제공되는 군대 급식도 있기 때문이다. 또 다문화 사회로 전환된 한국에서 이제 군대에 입대하는 청년들 중에는 무슬림 신자들도 있을 것이고, 독실한 불교도들도 있을 것이다. 그런데 그동안 제공되어 왔던 군대 급식에는 이들이 손댈 수 없는 반찬이 너무 많았다. 이를테면 돼지고기가 가장 많이 쓰이는 식재료이기 때문이다. 이렇게 군대도 변하고 있다.

다만 학교급식 현장은 여전히 혼란스럽다. 채소 반찬이 많은 날에는 어김없이 잔반이 쏟아져 나온다. 학생뿐만 아니라 20~30대의 교사들 입맛도 학생들과 다르지 않아 고기 선호도가 높아 메뉴 구성에 애를 먹는다. 음식을 만드는 입장에서는 손도 많이 가는 나물 반찬이 잔반통으로 직행하는 장면을 보는 것도 끔찍한 일이다. 혹자는 한 달에 두 번 정도 제공하는 채식 급식이 무슨 큰 혼란을 주느냐라는 문제제기도 한다. 하지만 조리 현장에서는 '동선'이 중요하다. 새로운 지침이 하달되면 이 모든 것이 동선을 재구성하는 문제와 연결된다. 학교에서는 채식 메뉴를 따로 구성하는 일에다, 근래에는 식품 알레르기 대체 식단까지 구성하여 학생들의 선택권을 존중하라고 하지만, 현장에 인력 충원이나 관련 지원은 더디거나 전무하다.

아이가 하숙생이 되거나 누군가에게 오래도록 신세를 지게 되면 부모들은 어떻게든 인사를 전하기 마련이다. 하다못해 아이가 친구네서 밥을 자주 얻어먹으면 손에 주스라도 한 병 들려 보내는 것이 인지상정이다. 그런데 내 아이 밥을 12년이나 챙겨 주는 사람들은 누구인지 모르고 산다. 아이가 맛있게 돈가스 반찬을 먹고 온 날은, 누군가는 뜨거운 유증기를 마시면서 돈가스를 수백 장 튀겨 내고 뜨거운 소스를 졸인 날이라는 것을 떠올리지 못한다. 비닐 앞치마와 비닐 장화, 위생모와 마스크, 팔 토시까지. 한증막과 같은 급식실에서 바람 한 점 들어오지 않는 복장으로 밥을 하고 국을 끓여 내 아이의 밥을 챙겨 주는 이들이다.

입학식이나 졸업식에서 지역의 정치인들과 동창회장 같은 사람들이 내외빈이 되어 인사를 받지만, 정작 내 아이 밥을 챙겨 주는 사람들이 누구인지 궁금해 하는 학부모는 없다. 입학식 연단에서 앞으로 귀댁 자녀들의 끼니를 책임질 전문가들이라 인사를 시키는 학교는 왜 없는 것일까. 학교급식 발전의 수훈이 있다면 단연코 학교급식 조리 노동자들에게 있다.

학교급식은 영양균형과 위생, 저염·저당의 조리법 등 여러 원칙을 적용하는 까다로운 식사이다. 채식 메뉴를 구성하되 맛있게 만들려면 다양한 채식 메뉴가 개발되어야 하고 현장을 훈련시키고 준비가 되어야 한다. 매번 두부만 줄 수도 없는 노릇이고 가공식품인 콩고기로 모두 대체할 수도 없다.

어쩌면 오늘도 학교급식 메뉴는 '사골 곰탕'이다. 누군가의 '고기와 뼈를 우려내는' 사골 곰탕 말이다. 채식 급식 선택제. 그 뜻이 아무리 정당하고 옳더라도 고기 대신 사람을 갈아 넣는 일이어서야 되겠는가.

소년원의 급식도 학교급식이다

2년 전 겨울, 나는 소년원에 방문한 적이 있었다. 현직 국어교사인 서현숙 선생님은 소년원의 소년들과 국어 수업을 진행하고 있었다. 주로 소설책을 함께 읽고 시를 외우는 수업이었다. 선생님은 소년들이 읽은 책의 저자들과 소년들을 직접 만나게 해 주고 싶어했다. 여러 작가들이 흔쾌히 이 초대를 받아들였고 나도 초대를 받은 저자 중 한 명이었다. 『대한민국 치킨전』을 읽었던 소년들과 행복했던 치킨과 슬펐던 치킨 이야기를 나눴다.

갇혀 지내는 처지에 치킨 이야기는 이러나저러나 아이들에게 잔혹한(?) 테마였다. 이날 아침 일찍 치킨을 튀겨 온 선생님 덕분에 소년들과 치킨을 나눠 먹으며 이야기를 했다. 그중 치킨집에서 아르바이트를 무려 2년 동안이나 한 소년이 있었다. 오히려 나보다 훨씬 더 정확하게 치킨 튀기는 일이 어떤 일인지 가르쳐 주었다. 소년원의 소년들은 자신이 이곳에 머물렀다는 것을 알리고 싶어 하지 않는다 했다. 소년원 측에서도 사진을 찍거나 정보를 발설하지 말라는 서약서를 내밀었다. 나는 약속대로 이 소년들을 잊어 주었다.

그러다 지난 2021년 1월, 뜬금없이 서울남부구치소의 식단표가 논란이 됐다. 여기에는 '정인이'의 학대 피의자가 수감되어 있다. '정인이 양모'라고 불리는 이 피의자가 구속되어 있는 남부구치소의 식단표를 한 네티즌이 올린 것이다. 밥과 국, 3찬에 과일이 갖춰진 표준 식단은 졸지에 '황제 식단'이 되어 있었다. 정인 양은 사망 전 우유조차 삼키지 못했다는데, 천인공노할 살인마에게 우리의 세금으로 왜 잘 먹이냐는 분노였다. 한 네티즌의 포스팅을 언론사마다 퍼 가고 살을 붙여 가면서 일파만파로 만들어 놓았다. 조회 수가 올라가고 포털 메인에 걸리기까지 하면서 한마디씩 짜증을 내뱉기에 알맞았다.

서울남부구치소의 수감자 1인당 급양비는 주식비, 부식비, 연료비까지 포함하여 한 끼에 1,540원이다. 단체 급식의 특성상 공공 구매를 통해 재료비 절감을 할 수 있다 쳐도 1,540원의 밥이 화려하면 얼마나 화려하겠는가. 게다가 구치소에는 정인 양의 가해 피의자만 수감된 것이 아니라, 상당수의 수감자가 법의 판결을 기다리는 미결수들이고 개중에는 '장발장'도 있다.

남부구치소의 황제 식단으로 공분이 일어나고 있을 즈음, 인권운동 단체인 인권연대에서 소년원의 부실한 급식 개선을 촉구하는 라디오 인터뷰를 했다. 끼니당 1,893원이었던 소년원 급양비를 그나마 2,080원까지 올렸지만 한창 자라는 청소년을 먹이기엔 턱없이 부족한 금액이라는 요지의 발언이었다. 하나 싹수가 노란 저런 놈들한테는 컵라면을 던져 줘도 감지덕지로 알라는 식의 비난이 쏟아졌다. 어리다는 이유로 그동안 설렁설렁 봐줘서 이 꼴이 난 것 아니냐는 반응이 압도적이었다. 죄도 밉고 사람은 더 미워들 하고 있었다.

소년원에 들어오는 소년들은 대개 중고등학생 나이의 청소년들이다. 소년원은 교도소가 아니라 특수교육기관이다. 실제로 소년원이라는 말을 쓰지 않고 '~학교'라는 명칭을 갖고 있다. 10호 처분이 가장 높은 단계의 처분인데 2년을 소년원에 재원해야 하는 처분이다.

소년교도소는 따로 있다. 중범죄를 저지른 만 19세 미만의 미성년자들이 소년원의 보호처분이 아니라 징역형을 받아 사는 곳이다. 이곳에 만 23세까지 있다가 일반교도소로 옮긴다. 이는 미성년자는 성인 수감자와는 다른 차원의 교정이 필요하다는 판단 때문이다. 범죄자이지만 학생의 나이여서 징역과 교육이 동시에 이루어져야 하고, 무엇보다 성인 범죄자들과의 접촉을 막기 위해서다.

죄를 저질렀어도 아이들이다. 또 어떤 죄는 부모가 어떤 힘을 쓰느냐에 따라 반성문 몇 장과 봉사 활동으로 메워질 죗값이다. 소년원 재원생들 중 70퍼센트가 부모와 함께 살고 있지 않다. 모두 좋은 부모랄 수 없지만 그래도 무슨 짓을 하든 자신을 감싸 줄 부모의 돌봄에서 이미 벗어난 지 오래된 소년들이 많다. 소년원은 이 아이들을 잘 교화해 사회로 내보내는 학교의 역할을 해야 한다. 그것이 소년원의 설립 목적이다. 하지만, 지금 이 아이들은 범죄자이고 예전의 아이들과 달라 몸집도 크고 범죄는 더 악랄해졌으니 아예 소년법을 폐지하고 그냥 감옥에 넣어 버리라는 말도 서슴지 않는다. 굶기지 않는 것을 다행으로 여기라는 것이다. 그럼 이전보다 소년 범죄가 더 잔혹해졌는가에 대한 논란은 연구자들마다 다른 견해를 낸다. 하지만 변하지 않은 것은 전체 범죄의 0.1퍼센트 정도만이 소년 범죄라는 것이다. 개가 사람을 무는 것보다는 사람이 개를 물면 이슈가 되는 것처럼 소년 범죄는 천박한 언론의 먹잇감이 되기 좋다. 대다수 범죄는 어른들이 저지른다.

소년원과 교도소는 감옥이 아니다. 감옥은 죄에 대한 처벌을 목적으로 국가가 대신 응보를 하는 것이다. 범죄의 '인과'가 있으니 '응보'를 하는 것이 감옥 체계다. 하지만 교도소는 '바로잡아 이끄는 곳'으로 '교정'이 목적인 곳이다. 1961년부터 한국도 '교도소'가 정식 용어다. 죄를 저질러 사회와 분리되어 신체의 자유는 묶였으되 결국 사회로 돌아갈 때는 착하고 바르게 살도록 하는 것이 사회에도 이득이기 때문이다. 소년원은 게다가 학교이다. 최고 처분인 10호 처분으로 2년을 재원하고 나왔을 때에 이 소년들이 어떤 상태여야 할까. 죄를 뉘우치고 순한 사람이 되어 있어야 하는데, 세상이 자기들에게 내내 냉혹하게 굴었다면 이 사회에 복귀하여 좋은 마음을 가질 리가 없다. 우리가 학교의 학생들에게 급식을 잘 먹이자 하면 누가 뭐라 할 것인가. 소년원의 급식도 학교급식이다.

『소년을 읽다』의 소년들은 서현숙 선생님과 책을 읽고 시를 외웠다. 이들은 소년원에 들어와서야 처음으로 누군가가 책을 읽어 주고 스스로 책을 읽는 재미에 빠졌다. 예쁜 디자인의 책과 편지지를 서로 갖고 싶어 했다. 열린 구조의 결말로 맺어진 소설의 마지막을 궁금해 하기도 하고, 주인공의 연애사에 지대한 관심을 쏟는 그런 소년들이었다. 나야 한 번 마주쳤으니 인상평을 남기는 것조차 조심스럽다. 하지만 하나는 분명하다. 그들은 소년이다. 아직은 어른들이 먹이고 가르치며 돌봐야 하는 아이들이다. 우리가 끝내 지키지 못한 정인 양처럼 보호가 필요한 존재들이다. 보호받아야 할 아이들이 모두 정인 양처럼 순수하지만은 않다. 그래도 상처받고 웅크린 어린 영혼들을 돌보는 일은 어른의 책무다.

박하사탕 싸던 여인들

박하사탕을 수줍게 내밀자, 순임(문소리 분)에게 영호(설경구 분)가 박하사탕 좋아하느냐고 묻는다. "좋아하려고 노력해요. 저, 공장에서 그거 하루에 천 개씩 싸거든요"라고 순임이 대답한다. 영화 〈박하사탕〉의 한 장면이다. 군 입대를 한 영호에게 순임은 박하사탕 한 개씩 편지 봉투에 담아 편지를 쓰곤 했고, 영호가 5월 광주의 계엄군으로 차출되던 날 군홧발에 박하사탕은 짓이겨진다. "나 돌아갈래"라고 절규했던 영호의 순수는 그때 파괴된다.

1970년대 영등포와 구로 일대의 수많은 '순임이'들은 캔디부, 껌부, 비스켓부, 카라멜부, 초콜릿부에 배속되어 하루 열두 시간 넘게 사탕을 만 개씩 쌌다. 영화에서 순임이 쌌던 천 개보다 열 배는 더 많았다. 작업량만큼 임금을 받는 도급제로 노동자들을 경쟁 상태에 몰아넣었다. 사탕을 싸면 지문이 닳고 피가 났지만 반창고를 붙이며 일을 했다. 열두 시간에 사탕 만 개를 포장하려면 4초당 한 개를 싸는 고도의 숙련도가 필요하다. 그렇게 열두 시간을 일해서 번 돈은 150원. 모두 '생활의 달인'이었다.

이영제의 『공장과 신화』라는 책에서, 롯데제과에서 민주노조 운동을 하다 해직된 김순옥 씨와 그의 동료들은 30년이 지난 지금도 손가락이 휘어 있다고 구술한다. 당시 가장 큰 제과 기업인 롯데제과와 해태제과, 농심, 동양제과, 삼립식품, 크라운제과는 당연한 듯 12시간 노동제를 유지했다. 해태제과와 롯데제과의 여공들은 8시간 노동시간을 쟁취하기 위해 온갖 폭력과 모욕을 당했다. 그렇게 처절하게 달성한 노동시간이 제과업계 8시간 노동제이다.

순임이 영호에게 보낸 박하사탕 한 알은 그녀가 '검신'이라는 신체검사를 따돌리고 가져온 사탕이었을 것이다. 노동자들은 사탕이나 과자를 들고 나가는 잠재적 도둑 취급을 당하며 퇴근길에 줄을 서서 '검신'을 받았다. 오죽하면 제발 검신은 하더라도 남자 검신원이 아닌 여자 검신원을 배치해 달라는 요구까지 했을까. 사탕과 초콜릿은 달콤했지만 달콤함을 만들어 낸 노동의 처지만큼은 비리고 짰다. 어릴 때 내가 먹은 사탕에 피와 땀이 묻어 있었던 거다.

볼썽사나운 집안싸움을 뉴스에서 보는 일이 잦아졌다. 재벌이 입길에 오르는 일은 대체로 뇌물과 배임 혐의, 2, 3세대에 대한 불법 승계와 세금 포탈, 일감 몰아주기와 종종 폭력 사태까지 아주 빤한 스토리다. 이 모든 행위가 '갑질'이라는 한마디로 수렴된다. 저지른 경제 범죄가 스케일이 크면, 어느 영화 대사처럼 사기꾼이 아니라 '경제사범'이 되고, 집안싸움은 '왕자의 난'이며, 권력층에 갖다 바친 뇌물은 뇌물공여죄가 아니라 '경영자로서의 고독한 고민'이 된다.

언제까지 외국인들이 와서 덕수궁만 봐야겠느냐며 '기업보국'의 마음으로 신격호 전 회장은 123층짜리 제2 롯데월드를 쌓으라 했다. 그 탑을 쌓는 동안에도 여럿 다치고 죽었다. 하지만 저 높은 첨탑이 짠물 경영의 귀재, 애국심 투철한 신격호 일가만의 업적은 아닐 것이다. '들장미 소녀 캔디' 또래의 순임이들이 외로워도 슬퍼도, 손가락에 피톨이 튀면서, 철야에 졸았다며 따귀를 맞아 가면서 쌓아 올린 피의 과자탑이고 캔디탑이다.

노사정 합의에 따라 2018년 최저임금이 7,530원으로 결정되었다(2021년 최저임금은 8,720원). 여기저기 앓는 소리가 들려온다. 고용을 줄이겠다는 겁박도 들려온다. 이 와중에 나는 7,530원으로 과자와 아이스크림 몇 개를 사 먹을 수 있는지 계산하느라 소요 중이다. 롯데 몽쉘통통 열두 개들이 한 박스와 칠성 사이다 큰 병 하나를 사 먹을 수 있겠구나. 아이스크림 하나 더 사 먹을 수 있는 날은 언제쯤 오려나.

파리를 여는 사람들

농지를 밀어내고 들어선 신도시에 살던 때 가장 먼저 들어선 카페는 파리바게뜨였다. 동네에서 제일 일찍 문을 여는 상점이기도 했다. 유치원 버스를 기다리면서 아이 손에 쥐여 주던 빵도 파리바게뜨 빵이었으니 내게 그럭저럭 좋은 기억으로 남은 빵집이다. 프랜차이즈 제과점들이 골목 빵집들을 몰아낸다는 비판도 있지만 지역에 따라 '동네 빵집' 역할을 하는 프랜차이즈 빵집들도 있다.

지방의 군 단위 작은 고장에도 어김없이 한자리를 차지하고 있는 파리바게뜨를 보면 늘 의아했던 것이 저 많은 빵과 케이크는 대체 어떻게 갖추는지였다. 본사에서 공급하는 양산 빵도 있지만 분명 매장에서 직접 굽는 빵도 파는데 과연 누가 빵을 굽는 것일까.

훗날에야 전국 파리바게뜨에서 똑같은 빵을 팔 수 있는 이유는 작업실에서 끊임없이 빵을 구워 내는 '제빵사'가 있기 때문이란 걸 알았다. 외식 프랜차이즈의 속성은 음식을 직접 만드는 원천 기술이 없어도 가게를 차릴 수 있다는 것이다. 전국에 3천 개가 넘는 파리바게뜨의 점주들이 빵을 직접 만드는 것이 아니다. 본사에 용역비를 내면, 파견된 제빵사들이 매뉴얼에 따라 빵을 만드는 체제이다. 제빵사들은 파리바게뜨 유니폼을 입고 빵을 만들지만 소속은 파리바게뜨 본사가 아니다. 오래도록 파리바게뜨 제빵사들의 소속은 인력을 파견하는 도급 업체였다. 하지만 이 제빵사들을 좌지우지하는 것은 파리바게뜨 본사였다. 케이크를 매대에 꽉 채우라는 지시가 내려오면 추가 수당도 못 받으면서 일찍 출근했고, 신제품을 예쁘게 진열하라는 지시도 본사에서 내렸다. 새로 나온 제품을 점주들에게 많이 팔라는 영업 지시도 본사에서 받아 왔다.

가맹점주들이 본사의 눈치를 보는 곳이 프랜차이즈의 속성이긴 하지만 본사 입장에서 가장 큰 고객은 또 가맹점주이기도 하다. 프랜차이즈에서 생산하는 수많은 제품들을 떠안는 곳도 가맹점들이고 그래서 가맹점 늘리기에 혈안이 되곤 한다. 그런데 파리바게뜨 본사와 가맹점주들 사이에 끼어 이중 갑질을 당한 사람들은 제빵사들이다. 아침 일찍 여는 제과점 특성상 새벽에 출근해서 매장을 꽉 채울 만큼의 빵과 케이크를 만든다. 상상 이상의 센 노동 강도와 저임금을 견디지 못하고 그만두는 제빵사들도 많다.

제빵사들과 원만하게 지내는 점주들도 많지만, 갈등을 일으키는 점주들 매장은 험지로 분류될 정도다. 빵이 못생기게 나왔다며 제빵사들에게 빵을 사 가라고 하는 것은 제빵사들 대부분이 당하는 일이고, 재료를 많이 썼다고 욕을 먹기도 한다. 매장에서 당한 부당한 조치에 대해 소속 회사에 보고하고 개선을 요구했지만, 파리바게뜨 본사 눈치를 봐야 하는 하청업체는 제빵사들에게 그저 참으라고만 했을 뿐이다.

그렇게 불법 파견된 자신들의 노동환경을 바꾸기 위해 전국 팔도에 흩어진 제빵사들이 민주노총 화섬연맹 소속의 파리바게뜨 노동조합을 만들었다. 파리바게뜨 본사가 제빵사들을 직접 고용하라는 노동부의 지시에도 본사는 버텼고, 겨우 'PB파트너스'라는 계열사에 제빵사들은 고용되었다. 여러 불합리한 관행을 개선하겠다는 사회적 합의 이행 약속과 임금 인상, 체불 임금 지급에 대한 약속은 여전히 지켜지지 않고 있다. 사측의 입장에 가깝게 움직이는 한국노총 산하의 복수 노조가 설립되어 노노 갈등의 양상까지 드러나는 상황이 되었고, 파리바게뜨 본사는 수수방관 중이다. 2021년 사측이 민주노총 소속의 노조원들을 빼내 한국노총으로 가입시킨 관리자들에게 1인당 5만 원의 포상금을 지급했다는 것이 밝혀질 정도로 집요하게 노조 활동을 방해하고 있다.

롤케이크를 사들고 고향 부모님께 찾아가는 명절에 파리바게뜨 노동자들은 천막을 치고 농성을 하고 있다. '파리의 아침'을 열던 제빵사들의 손에는 크림 주머니가 아니라 피켓이 들리고 머리에는 위생모자 대신 머리띠가 둘려 있다. 오늘 우리가 먹은 파리바게뜨의 빵은 눈물 젖은 빵이다.

어느 생협 조합원의 소회

아이가 네댓 살쯤일 때, 옥수수를 쪄 주며 "이 옥수수 어디에서 왔게?"라 물으면 "생협에서 왔지"라는 대답이 돌아왔다. 아이들은 '생협 키즈'로 살았다. 2000년대 초반 '아토피'는 엄마들 사이에서는 화두였고, 친환경 먹거리만이 구원이었다. 나도 일찌감치 아이쿱생협에 가입해, 2021년인 올해로 18년 차 조합원이다. 엄마로서의 선택이기도 했고 연구자로서의 선택이기도 했다. 친환경 농업을 지켜 줄 보루라 여겼기 때문이다.

지금도 가끔 물품을 공급받고 있다. 굳이 '물품 공급'이란 말을 쓰는 이유는 생협은 단순히 상품을 소비하는 곳이 아니라 생산자와 소비자가 상생하는 곳이라고 귀에 딱지가 앉도록 들어서이다. 협동조합은 사회·경제·문화적 필요와 욕구를 공통으로 해결하기 위해 자발적으로 조직 운영되는 사업체다. 그중 소비자생활협동조합은 소비자 조합원의 공통의 이해관계를 위해 모인 조합이다. 현재는 친환경 먹거리에 대한 공통의 욕구가 강한 편이라, '생협' 하면 친환경 먹거리를 취급하는 쇼핑몰인 줄 아는 사람도 많다. 심지어 '생협슈퍼'라는 상호도 있다.

여러 생협 중에서도 무서운 성장세를 기록한 조합이 아이쿱 생협이다. '윤리적 소비'를 기치로 내걸고 조합원에게 '윤소맘'이란 애칭을 붙여 주다가 근래엔 '치유와 힐링'이라는 콘셉트로 옮겨 갔다. 식품 기업에서 생산하는 라면이나 과자, 즉석식품 같은 대체재가 타 생협보다 잘 갖춰져 있어 특히 아이들 있는 가정은 매우 편하다. 모든 협동조합이 그렇듯 생협도 출자금을 내고 조합원이 된다. 아이쿱은 별도로 매달 1만 원 정도의 조합비를 내기 때문에 소비 집중도가 높다. 매달 내는 조합비가 아까워서라도 그렇다. 소비자 조합원들은 어디에서는 뭘 팔던데 우리도 만들어 달라 요구를 하고, 그러면 또 이를 받아들여 제품을 개발할 수밖에 없다. 고도의 가공을 거치다 보니 물성을 유지하기 위해 각종 첨가물을 넣을 수밖에 없다. 아무렴 어떤가, 그래도 기업에서 생산한 식품보다 훨씬 덜 첨가하면 '만사 오케이'다.

물품들 중에는 생협이 이런 것도 팔아야 하나 싶은 것들이 쏟아지기 시작했다. 지리산 생수가 그랬다. 물 좋고 산 좋은 곳에 관정을 뚫어 끌어 올리는 생수 산업은 가장 반생태적인 산업 중

하나이다. 페트병 생산의 문제는 차치하더라도 말이다. 그렇게 하나둘씩 조합원의 건강과 힐링을 위해 만들다 보니 아이쿱생협에서 취급하지 않는 식품은 거의 없다시피 한다. 얼마 전부터는 해양심층수를 종이팩에 담아 팔기 시작했다. 미세플라스틱에 대한 우려 때문이다. 세상의 관심이 해양의 미세플라스틱으로 옮겨 가니, 이제 웬만한 모든 물품에는 미세플라스틱이 없는 해양심층수 소금을 넣었다는 것이 마케팅 포인트다.

세상이 변해 집에서 원물을 다듬어 요리를 해 먹는 사람들이 줄어들고 포장지만 뜯으면 바로 음식으로 전환되는 즉석식품이 대세다. 한국의 생협들 전체가 이 흐름을 거스를 수는 없을 것이다. 아이쿱은 한발 더 나아가 자체 생산 라인을 갖춰 '자연드림'이라는 브랜드를 달아 다종다양한 식품을 생산하고 있다. 들어가는 원재료가 친환경 농산물이거나 국내산이거나 방사능 검사기만 무사히 통과한다면 아무렴 어떤가.

아이쿱생협은 25만 명의 조합원이 있는 거대 생협이고 그 규모만큼 생산·서비스 관련 노동자가 4천 명에 이르지만, 고용구조는 매우 복잡하다. 수많은 식품들은 전용 생산 기지인 '구례자연드림파크'와 '괴산자연드림파크'에서 생산한다. 이제 길에서 쉽게 마주치는 자연드림 매장은 '주식회사 쿱스토어'라는 자회사가 위탁 운영을 한다. 하지만 구례자연드림파크의 노동자들과 경남 지역의 자연드림 매장 직원들이 노동조합을 결성하면서 갈등이 생겼다.

협동조합에서 노동조합을 만드는 일이야 당연한 일이라 여겼고, 외려 "그동안 왜 노동조합이 없었지?"라고 되물었다. 나는 종종 전국의 아이쿱생협에 강의를 다니기도 했었고, 그때마다 음식에 깃든 농민과 노동의 가치를 생각하자 외쳐 왔다. 그런데 막상 내가 속한 생협의 노동을 들여다보지 못한 것이 부끄러웠다. 실상은 더욱 열악했기 때문이다. 노동조합은 노동탄압이 벌어지는 곳에서나 결성하는 것이라는 저열한 노동 인식을 드러내기도 했다. 오랜 조합원인 나는 이 황당함을 몇몇 매체에 기고하여 구례자연드림파크의 노동조합 문제를 알려 보고자 했다. 그러나 아이쿱생협은 구례자연드림파크는 아이쿱과는 상관없는 일종의 주식회사일 뿐이라며 '입조심'을 주문했다. 어느 날 내게 날아든 내용증명 한 장은 명예훼손으로 걸어 버릴 수도 있으니 '가만히 있으라'는 경고장이었다.

이런 일은 사기업에서나 벌이는 일인 줄 알았다. 이마트에서 사람이 죽어 나가 신세계 이마트에 책임을 지라 하면 그 노동자들은 이마트 소속이 아니라 하청업체 사람이니 알아서들 하라고 외면하는 처사 말이다. 내가 받는 수많은 생협물품을 공급해 주는 노동자들의 문제가 정작 생협과는 상관없다 하니 아연실색을 할 수밖에 없었다. 저 '먼 나라의 노동 착취' 문제를 제기하며 공정무역 설탕과 코코아를 들여올지언정 말이다. 18년 넘도록 "그래도 생협인데"라며 많이 매달려 왔다. 농업 생산자에게 조금이라도 몫을 더 돌리려는 태도를, 노동자들의 권리를 강화해 피도 눈물도 없는 사기업들을 부끄럽게 만들기를 바랐지만 이것이야말로 일개 조합원의 '드림'이었을 뿐이다.

나는 여전히 아이쿱생협의 조합원이다. 우연이거나 강의가 별로여서겠지만 이후 아이쿱생협은 날 부르지 않는다. 외려 타 생협 강의에 더 많이 나간다. 그래도 조합원으로 남아 있는 이유는 조합원 탈퇴를 하는 순간 외부인이 되기 때문이다. 그렇게 되면 그 어떤 연대의 발언조차 할 수 없을 테니 말이다. 물론 조합비가 아까워 물품도 가끔 이용한다. 주로 계란과 대파 같은 1차 농산물을 구매한다. 이제 나는 공급을 받는 소비자 조합원에서 소비자가 되어 가고 있다. 나의 오랜 협동조합은 내가 소비자로만 살기를 바라고 또 바랐을 텐데, 그 바람대로 나는 협동에도 조합에도 실패하였다.

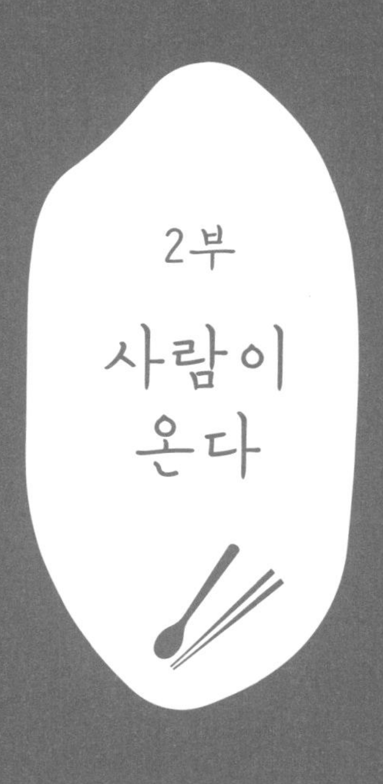

2부

사람이 온다

•
•
•

오늘도 인도와 차도 구분 없이 위험천만하게 질주하는 배달 오토바이를 만난다. "저러다 사고라도 나면 누구 인생을 망치려고!"라는 말이 서슴없이 튀어나올 때도 있었다. 하지만 남의 인생이 아니라 자신의 인생을 걸고 오늘만 사는 사람들이 어디 한둘이던가. 그래도 치킨 한 마리, 피자 한 판이 오기까지의 여정을 상상해 본다. 치킨집 사장님 부부는 노부모를 건사하고, 아이들의 학원비를 내며, 당첨된 아파트의 중도금을 열심히 모으는 중일 것이다. 배달 청년은 다음 학기 등록금을 마련하기 위해 달리고 있을지도 모른다. 이렇게 한 사람의 인생을 풍부하게 상상해 본다면, 오늘 시켜 먹는 치킨 한 마리에는 한 사람의 어마어마한 인생도 포개져 달려오고 있음을 느낄 수 있다.

자기 스스로 임금을 만들어 내는 이들을 자영업자로 부른다. 법제상 '비임금근로자'로 분류되는 자영업자는, 근로는 성실하게 하지만 임금은 없는 삶을 살아온 지 오래다. 자영업자들은 봉급을 받으면서 사는 일이 속편한 일이라며 장사는 하지 말라 충고한다. 하지만 어찌할 도리가 없다. 그나마 좋은 일자리라 알려진 공공 부문의

일, 가령 지하철공사나 발전소 같은 곳들마저도 경영 효율성을 내세워 하청에 재하청 구조로 복잡하게 얽혀 있는 판이다. 결국 월급쟁이로 살아갈 길이 묘연하여 먹는 장사로 떠밀린다.

자영업의 상징이 된 외식 자영업은 혹독하기 이를데 없다. 자영업이 비대해진 산업의 구도를 바꾸기보다는, 자영업의 영세성과 비전문성 때문에 발전하지 못한다는 진단을 내리고 프랜차이즈 산업을 육성해 온 후과이다. 골목식당 주인에게 기술 수련을 하라며 호통을 치는 유명 외식 사업가가, 기술이 없이도 식당을 차릴 수 있다며 부추기는 프랜차이즈 업체의 오너인 세상이다. 골목에서 성실하게 식당을 운영하고 있는데 지척에 동일 업종의 프랜차이즈 식당이 들어오는 일은 얼마나 황당한 분열인가. 자신과 가족들의 몸을 갊아 생의 구멍을 메우는 자영업자의 고통을 당장 덜어낼 비책은 없다. 다만, 장사도 힘든데 넘쳐 나는 식당 솔루션 예능을 보면서 자기 탓까지 하며 기운을 빼지는 않았으면 좋겠다. 아무도 게으르지 않았다.

김밥으로 오신 하느님

출장을 다니면 점심으로 김밥을 자주 사 먹게 된다. 외식 자영업자들이 점심 장사에 목을 거는데 그 시간에 식당 한 자리 차지하기가 민망해서다. 지방 소도시나 농촌에 가면 점심도 저녁도 늘 한산하니 그냥 아무 때나 혼자 들어가서 먹는다. 대신에 단가를 맞춰 드리겠다는 핑계로 맥주나 막걸리를 같이 시킨다. 보수적인 농촌에서 대낮부터 밥 시켜 놓고 막걸리나 맥주를 홀짝거리고 있는 여자가 그 집의 명물이 될 때도 있다. 그래서 가장 마음 편한 메뉴가 김밥이다. 김밥 한 줄 사서 기차역이나 터미널 의자에 앉아 젓가락도 안 쓰고 은박지를 도르르 벗겨 가면서 먹는다.

종종 딸아이가 "엄마, 어디야?"라고 메시지를 보내면 "응,

엄마 천국 왔다"라고 답한다. 그러면 딸아이는 "엄마, 오늘도 김천이야?"라고도 한다. 정말 김천시에 출장을 가기도 하지만 여기에서 말하는 김천은 '김밥천국'의 줄임말이다. 그렇게 김밥천국은 김밥집의 대명사가 되어, 아예 줄여서 천국, 혹은 김천 갔노라 하면 바로 알아듣는다.

1980년대까지 김밥은 저렴한 외식 전용 음식이 아니었다. 소풍이나 운동회 같은 특별한 날에 통닭과 함께 먹던 음식이다. 색소가 들어간 전분 덩어리에 가깝지만 분홍 소시지도 들어가고, 양식이 지금만큼 대형화되진 않아서 김 값도 꽤 나갔다. 무엇보다 쌀이 많이 들어간다. 김밥을 말아 보면 밥이 곱절은 들어간다. 꼭꼭 말아 쥐기 때문에 밀도가 세어지기 때문이다. 지금이야 가장 저렴한 식재료가 쌀이지만, 식구 많고 소득은 고만고만한 시절 김밥을 싸려면 며칠 치의 땟거리를 총집결시키는 일이었다. 형제자매들 중에 소풍이나 운동회가 있으면 그날 내 도시락도 김밥 도시락이었다. 그러면 도시락 뚜껑을 열자마자 친구들의 십자포화를 당하기 일쑤여서 어떤 때는 쉬는 시간 틈틈이 몰래 다 빼 먹을 정도로 귀한 음식이었다. 하지만 시대는 변했고 이제 가장 흔하고 만만한 음식이 김밥이다.

글을 쓰면서 특정 업체를 지칭할 때 어쩔 수 없이 영문 이니셜로 처리하거나 혹은 '모 업체' 정도로 표기하곤 한다. 요즘은 '땡' 자를 넣어서 '김밥천국'을 '김땡천국'이라 일컫기도 한다. 잘 못하면 특정 업체 홍보가 되고 또 그 반대의 경우 명예훼손의 위험성이 있어서다. 하지만 김밥천국 정도는 마음 편하게 지칭할 수 있다. 왜냐하면 동네에서 쉽게 마주치는 김밥천국은 상표에 대한 독점권이 없기 때문이다. 실제로 김밥천국이라는 간판은 다 제각각인데 이 상표를 갖다 쓰는 회사가 여러 곳이다. 물론 원조 업체가 없는 것은 아니다. 1995년에 인천에서 시작한 '김밥천국'이 인기를 끌고 가맹 점포가 늘어나자 특허청에 상표 등록을 신청했다. 하지만 보통명사인 '김밥'과 '천국'을 단순하게 조합했다는 이유로 고유상표 등록이 반려되었다. 이후 김밥천국 상호를 내건 프랜차이즈 본사만 해도 여러 개다. 그렇게 김밥천국은 김밥을 파는 분식집이자 온갖 메뉴를 파는 저렴한 식사 장소를 상징한다.

한때 '천냥김밥'이란 간판도 흔했다. 나중에 김밥 값이 오르면 간판도 바꿔 달아야 한다는 흰소리도 했었지만 어쨌든 김밥은 '천 원'이었다. 그 값이 김밥의 전국 표준 가격이었다. 들어가는 재료는 빤했다. 천 원 한 장을 내고 사 먹는 김밥에 사람들도 큰 기대를 하지는 않았을 것이다. 쩐내가 나는 김도, 참기름이 아니라 참기름 향을 가미한 향미유로 밥을 비볐어도 말이다. 지하철역 입구에 출근 시간에 맞춰 김밥 노점상들도 등장했다. 시간과 돈 모두 빠듯한 직장인들에게 인기가 많아 김밥 장사의 자리 싸움도 치열했다.

'천 원 김밥'은 농촌에서도 유용했다. 읍·면 단위에 나가면 그나마 김밥과 떡볶이를 파는 분식점이 있기 마련이다. 들일을 할 때 중간에 나가서 몇 줄씩 사 오면 새참으로 요긴했다. 그 가격에 '밥'을 먹을 수 있다는 만족감이 높았고, 실제로 저소득층 노인들이 밥알을 씹을 수 있는 유일한 한 끼이기도 했다. 하지만 점포에 자리를 잡고 먹으려면 좀 비싼 김밥을 시키거나 곁다리 메뉴로 라면이라도 하나 더 시켜야 했다. 김밥에 단무지, 국물을 제공하고 설거지라는 부수적인 서비스가 동반되므로 업주들 입장에서는 김밥 한 줄을 팔면서 자리까지 차지하는 이들이 달갑지 않았을 것이다. 실제로 지금은 저가 김밥은 포장만 가능한 곳이 많다.

십 년 전, 자리에 앉아 김밥 한 줄을 주문한 손님에게 싫은 내색을 하는 김밥집 주인을 본 적이 있었다. 업주의 마음도 충분히 이해가 되지만 그래도 그 가게를 다시 찾지는 않았다. 그 집에 천주교 십자고상이 걸려 있었기 때문이다. 그때 그 모욕을 참고 꿋꿋하게 자리를 잡아 김밥 한 줄 사 먹고 있는 '진상 손님'들은 그렇게라도 따뜻한 국물이 필요한 사람들이었을 테고, 이때 아니면 앉아서 밥을 먹을 수 없는 사람들이었을 것이다.

그러다 2005년 전후로 '천 원 김밥'이 1,500원으로 올랐다. 김밥 값이 오르자 우리 집에 한 달에 두어 번 들러 신문을 가져가시던 할아버지가 많이 속상해 했다. 천 원짜리 두 장이면 김밥 두 줄을 사서 점심에 한 줄 먹고 저녁밥으로도 한 줄 먹었는데, 이제는 그럴 수가 없게 되었다며. 지금도 그렇지만 종일 폐품을 모아도 손에 채 5천 원을 쥐지 못했다. 값이 나가는 폐품은 의외로 신문지인데 신문 보는 집도 줄고 아파트에는 수거업체가 계약되어 있어 여러모로 어려움이 크다 했다. 할아버지는 그 알량한 고물 값에서 김밥 두 줄 값인 2,000원을 빼내 그래도 특별한 반찬 없이 밥을 입에 넣을 수 있었다. 하지만 두 줄을 사려면 이제 일당의 절반이 넘는 3천 원을 써야 하는 것이다. 아마 그 할아버지는 두 줄을 한 줄로 줄이거나 다른 용처에서 김밥 값을 빼내야 했을 것이다. 지금은 김밥 한 줄에 최소 2,000원에서 2,500원이니 폐품 할아버지는 하루 일당의 절반을 김밥 값으로 써야 한다.

김밥집은 전형적인 불황형 창업 아이템으로 알려져 있다. 파는 사람도 사 먹는 사람도 주머니 형편이 좋지 않을 때 확 늘어난다. 오죽하면 차릴 것은 김밥집 아니면 치킨집이란 말이 있겠나. 하지만 편의점에서 파는 삼각김밥을 비롯해 다종다양한 김밥집이 있어 경쟁도 치열하다. 여기에 고급 김밥 프랜차이즈들도 속속 등장했다. 기본 김밥 값이 한 줄에 3,500원에서 4,000원. 속 재료에 따라 5,000원에 육박하기도 한다. 김밥 두어 줄 먹으면 만 원이 훌쩍 넘곤 해서 선뜻 사 먹지는 않는다.

겨울로 접어들면서 코로나19 바이러스가 다시 창궐하고 있다. 방역 단계가 올라가고, 24시간 영업을 하던 김밥천국이 9시에 문을 닫거나 9시 이후 포장 배달만 가능해진다. 그러면 늦은 시간 혼자서 국물과 함께 김밥 한 줄로 끼니를 챙기던 이들이 난감해질 것이다. 심야 택시 기사나 대리운전 기사들, 늦은 시간 귀가하는 취업준비생 같은 이들 말이다. 이들에게 김밥천국과 같은 저렴한 식당은 매우 귀한 식사 장소이다. 요리는 시간과 돈, 무엇보다 주방 도구와 식재료까지 갖춰야 하는 일이기 때문에 쉽게 '집밥'을 해 먹자고도 할 수 없다. 삶이 지옥인 세상에서 누군가에겐 사 먹는 김밥 한 줄이 하느님이고 천국이다.

한여름
떡볶이 배달을 하다가

한 청년의 이모에게서 연락이 왔다. 모 프랜차이즈 떡볶이 가게의 배달 일을 하는 스무 살 조카가 큰 교통사고가 났는데 어떻게 하면 좋겠느냐는 문의였다. 청년은 고등학교를 졸업하고 배달 노동자가 되었다. 다행히 떡볶이 가게 사장은 좋은 고용주였다. 청년을 인격적으로 대했고, 청년도 사장을 첫 사회생활의 멘토로 여기며 잘 따랐다. 처음에는 아르바이트생으로 들어갔다가 직원으로 근무를 하게 되었고, 그런 지 석 달이 넘어섰을 때 사고가 나고 말았다.

떡볶이를 배달하러 가던 청년은 교차로에서 신호가 바뀌기를 기다리다 파란불이 켜지자마자 힘차게 오토바이 액셀러레이터를 밟았다. 그 찰나에, 노란불이 켜졌는데도 교차로를 빨리 통과하고 싶었던 반대편 차선의 마을버스가 속도를 내며 내달려 왔고 청년의 몸은 떡볶이와 함께 하늘로 붕 떴다 바닥에 그대로 내려 꽂혔다. 떡볶이가 쏟아지고 떡볶이보다 더 붉은 피가 뿜어져 나왔다. 아주 더운 여름날이었고 청년은 헬멧을 쓰지 않고 있었다.

중환자실에서 일반병실로 내려왔을 때는 계절이 바뀌어 추석 명절이 왔다. 과실은 마을버스 기사 100퍼센트로 나왔고 마을버스공제회에서 입원 치료비는 나올 터여서 그나마 다행이지만 지난한 합의 과정이 남았다. 청년이 중환자실에서 일반병실로 내려오자 마을버스 기사가 매일같이 찾아와 우선 형사 합의만이라도 해 달라 부탁했다. 피해자 측에서 형사 고소를 하지 않겠다는 합의서를 써 주어야만 다시 마을버스를 몰 수 있기 때문이다. 청년의 가족들도 마을버스 기사를 굳이 경찰에 넘길 생각은 없었다. 모두 시간에 쫓겨 먹고살자니 벌어진 일이어서 서로를 원망할 수도 없었다. 동네 사람들 발품을 덜어 주는 마을버스는 배차 시간이 훨씬 더 짧아 매번 시간에 쫓기기에 일반 시내버스보다 더 무리한 운전을 하게 된다. 사고를 낸 마을버스 기사는 기어들어가는 목소리로 청년에게 헬멧을 썼으면 덜 다쳤을 텐데, 라며 말끝을 흐렸다. 청년도 내내 그 부분이 마음에 걸렸다. 더웠던 날씨를 탓하자니 헬멧을 쓰지 않은 후과가 너무 컸다.

내 깜냥껏 여기저기 물어물어 산업재해보상보험(산재보험)을 신청해야 한다는 이야기를 듣고 그대로 전했다. 그리고 배달 노동자조합인 '라이더유니온'에 상담을 해 보자고도 했다. 아직 너무 젊고, 눈동자의 위치가 바뀔 만큼 크게 다쳐 장애나 후유증이 남을 수 있기 때문에, 인생이 걸린 문제이니 길게 봐야 한다는 주변의 우려도 전했다.

하지만 업주인 사장은 산재보험에 가입하지 않은 상태였다. 악덕 업주여서가 아니라, 며칠 일하다 그만두는 경우가 워낙 많은 배달 노동의 특성상 매번 보험 가입할 시간 여유가 없었다는 것이다. 규모가 있는 기업이 아니고서야 영세 규모의 업장은 업주가 세무와 보험 관련 서류 업무도 직접 처리해야 하니, 그것도 쉬운 일은 아니다. 급한 건 떡볶이 파는 일이다 보니 차분하게 앉아 컴퓨터로 해야 하는 일들은 늘 후순위로 밀렸다. 청년이 산재 신청할 용의가 있으면 자신이 그동안 내지 않은 산재 납입금을 내고 신청을 돕겠다고도 했다.

하지만 정작 산재 신청을 포기한 이는 청년이었다. 빤한 형편에 일시금으로 들어오는 합의금이 필요해서였다. 나는 더 이상 산재 신청을 강권하지 못했다. 얼굴도 모르는 남이기도 하고, 어쩌면 젊은 나이에 회복력이 좋아서 몸이 빨리 낫게 되면 그 합의금이 내내 아쉬울지도 모를 테니. 이래저래 이 일에서 손을 뗄 핑계를 찾을 수밖에 없었다.

그리고 이제 정말 남의 일이 되었다. 프랜차이즈 떡볶이집 사장님과 마을버스 기사, 그리고 스무 살의 배달 노동자. 가장 낮은 노동의 세계가 뜨거운 여름날 세게 한번 맞부딪친 이야기이다.

인간을 '사재기'하는 택배 산업

코로나19 사태에 어떻게 잘 지내고 있는지 외국에 사는 친구들 안부를 물었다. 부자 나라인 미국과 독일로 일찌감치 떠난 친구들은 난데없이 휴지와 파스타면 기근이라 했다. 적어도 생필품 사재기가 없는 나라에서 사는 일이 뿌듯해지기까지 했다.

그런데 나도 휴지를 매장에서 직접 사 본 적이 언제인지 모르겠다. 부피가 크다 보니 주로 인터넷 쇼핑으로 구매해 왔다. 한국에서 휴지를 비롯한 생필품 사재기가 없는 이유는 코로나19 사태에 적극적으로 대응하고 있다는 안정감 덕분이기도 하지만, 굳이 직접 장을 보러 가지 않아도 총알배송, 로켓배송, 샛별배송까지—대리 운전으로 사람도 배송을 해 주는 나라이니—모든 것이 집 앞까지 배달되는 나라에 살고 있기 때문이다.

직접 사는 것보다는 택배로 시키는 것이 현명한 쇼핑이라 알려진 품목이 쌀과 생수, 고양이 모래라고 한다. 고가의 상품은 아니지만 무거워서다. 반면 택배 노동자들이 가장 힘들어 하는 품목도 바로 저 세 가지다. 엘리베이터가 있는 건물이면 낫지만 엘리베이터도 없는 집에 물건들을 업어서 배달을 한다. 그러고 나면 하늘이 핑핑 돈다고 한다. 여기에 한여름이기까지 하면 장정 한 명을 잡고도 남는다. 오죽하면 한 집에서 무거운 물건을 한꺼번에 배송시키지 말았으면 좋겠다는 하소연도 하겠는가.

하루 세끼 먹는다는 '삼식이'도 아니고 '육식이' 정도 되는 아이들이 집에만 머문 지 석 달째에 접어든다. 외출도 외식도 부담스러워지면서 집 현관 앞에도 라면부터 온갖 주전부리 택배 상자가 쌓이기 시작했다. 혹시 모를 바이러스 전파 때문에 직접 마주치지 않는 비대면 배송도 익숙해졌다. 딴에는 사람 노릇 한다며 음료수라도 챙겨 택배 기사님들께 드리곤 했지만 이제 그런 정마저 나눌 수 없게 되었다.

통계청 자료를 보니, 코로나19 사태가 벌어지고 온라인 쇼핑 상품 거래액은 9조 1,675억 원. 이는 전체 소매 판매액(39조 5,778억 원)의 23.2퍼센트이다. 온라인 쇼핑 통계 집계 이후 사상 최대 비중이다. 소비가 정지된 것이 아니라, 전체 소비 다섯 건 중 한 건이 온라인 소비로 이루어진 것이다. 마트에는 덜 가지만 대신 휴대전화 문자에는 다양한 택배 배송 관련 메시지가 넘쳐

난다. 한국통합물류협회 발표를 보면 2019년 택배 물량이 28억 개, 매출만 6조 3천억 원이 넘은 거대 산업이며, 국민들 1인당 택배 이용 횟수는 연 53.8회다. 노동 능력이 있는 사람들은 그보다 더 많은 99.3회 정도 택배를 이용한다. 굳이 마트에 가서 생수나 휴지를 사지 않아도 되는 이유가 세계에서 가장 빠른 택배 서비스 덕분이다.

2020년 3월 12일, 엘리베이터가 없는 빌라 건물 4층과 5층 사이 계단에서 '쿠팡맨'이라 불리는 40대의 택배 노동자가 숨을 거두었다. 택배 노동자의 사망은 새삼스럽지 않다. 그 이전에도 새벽부터 주말도 없이 가혹할 정도의 노동조건으로 유명한 일이 택배와 화물 노동이었다. 우체국 집배원들도 2014년부터 2019년까지 5년간 92명이 목숨을 잃었다. 우체국 집배원의 주당 평균 노동시간은 55.9시간, 사기업의 택배 노동은 더욱 혹독하다. 택배 노동자들의 연간 노동시간은 OECD 평균의 2배를 넘어선다. 택배 한 건당 수수료는 비싸 봤자 1,000원도 되지 않는 현실에서 배송이 빠르게 이루어지려면 택배 분류 업무에 배송 기사들이 시달려야 한다. 택배 노동자 실태 조사를 보면 하루에 6시간 정도는 분류 작업에 매달린다. 그만큼 배송 작업에 조급해지고 늦어질 수밖에 없다. 우체국 택배가 조금 더 비싸고 빠른 이유는 그나마 분류 작업이 도급 형태로 분리되어 있기 때문이다. 대부분의 택배 회사들은 집배송 수수료에 이 분류 작업 비용을

버무려 버린다. 근래 택배업계에서 분류 업무에 외국인 노동자들의 배치를 허가해 달라는 요청을 했다. 이에 전국택배노동조합에서는 근무 환경을 개선하는 방향이 아닌, 가장 힘들고 더러운 일에 외국인 노동자를 값싸게 갖다 쓰려는 것이 대안이냐고 비판했다.

2021년은 택배 서비스가 도입된 지 28년째 되는 해다. 편의점을 거점으로 하는 반값 택배도 등장하고 택배 산업의 성장세는 눈부셨지만, 이는 누군가의 인생을 사재기해 왔던 '인간 사재기'의 시장이기도 하다.

새벽 배송,
전쟁 같은 쇼핑의 세계

마켓컬리, 새벽 배송의 문을 열다

유통업계의 2019년 트렌드 키워드는 그 누구도 이의 없이 '새벽 배송'을 꼽았다. '혜성처럼 등장한' 같은 다소 천편일률의 표현을 써 가며 마켓컬리의 새벽 배송 서비스에 대한 분석들이 뒤따르고 있다. 한국의 새벽 배송 도입의 역사는 마켓컬리의 창업 역사이기도 하다.

2014년 신선식품을 취급하는 온라인 쇼핑몰로 출발한 마켓컬리는 전날 밤 11시까지 주문하면 아침 7시까지 배달해 주는 '샛별배송' 서비스를 시작한 업체이다. 새벽 배송이기 때문에 영업 권역은 수도권에 한정되어 있었지만 입소문을 타면서 신선한 고급 식재료를 전문으로 취급하는 프리미엄 업체의 이미지를 얻게 되었다. 여기에 전지현이라는 톱스타를 광고 모델로 쓰면서 더욱 유명해졌다.

마켓컬리는 영업 1년 차였던 2015년 매출은 29억 원이었지만 4년 뒤 2019년 총 매출액은 4,289억 원이었다. 2021년 주주총회에 보고된 마켓컬리의 매출액은 9,523억 원. 1조 원에 조금 못 미치는 어마어마한 기록이다. 코로나19 특수 덕분이다. 성장률로만 보자면 마켓컬리는 해마다 서너 배 이상의 고속 성장을 한 회사이지만, 엄밀하게는 적자 기업이다. 2020년에 마켓컬리의 적자액은 1,162억 원이다. 성장한 만큼 적자도 많이 났지만 플랫폼 기업은 실질 영업이익보다 시장에 팔릴 때 얼마의 기업 가치를 지니느냐가 더 중요하다.

어찌 됐든 '새벽 배송' 하면 마켓컬리가 자동으로 연상된다. 마켓컬리는 새벽 배송 시장의 선두 기업이라는 이미지를 확실히 굳혔고, 소비자의 기호에 맞춘 소량 포장으로 1~2인 가구와 새로운 소비 트렌드에 최적화되어 있다는 평가를 받고 있다. 여기에 김슬아 대표 개인의 상품성도 한몫한다. 민족사관고등학교를 졸업한 미국 유학파이자 골드만삭스라는 안정적인 직장을 박차고 나와 스타트업 기업의 CEO가 되었다는 '무한도전' 스토리텔링을 갖고 있다. 실제로 김슬아 대표는 강연과 언론 인터뷰, 예능 프로그램 출연도 마다하지 않으며 개인 프로모션에 매우 능하다. 회사 자체의 수익률만 본다면 적자 기업이 분명하지만,

마켓컬리라는 기업의 상품성 혹은 기업 가치는 2조 5천억 원이라는 시장의 판단이 내려져 있기도 하다.

대형마트의 시대는 저물고

한편 대형마트의 시대는 저물어 가고 있다. 여전히 유통업계를 호령하는 큰형님의 풍채를 갖고 있지만 예전만큼의 위력을 보이지는 못하고 있다. 2019년 대형마트 '빅 3'의 영업 손실 규모는 이마트 243억, 롯데마트는 400억, 홈플러스는 순손실 5,000억 원에 이른다. 경기 침체는 늘 상수이고, 대형마트의 영업일 규제가 침체의 원인이라고 앓는 목소리를 보태기는 하지만, 시장의 판도가 온라인으로 바뀌었기 때문이라는 것은 대형마트 업계도 인정하고 있다.

대형마트의 '원 플러스 원'이라는 상품 구성은 집에서 요리를 하는 4인 이상의 가정에는 유용하지만, 요리할 시간과 공간이 부족하고 주방 도구를 갖추고 살지 않는 1인 가구에는 무용지물일 뿐이다. 나물 반찬 한 가지를 해서 간단하게 밥을 비벼 먹는다 쳐도 갖추어야 할 양념만 서너 가지다. 쏟아져 나오는 플라스틱 용기가 부담스럽다고 말하면서도 전자레인지만 있으면 해결 가능한 가정편의식HMR, Home Meal Replacement 시장이 해마다 커지는 이유이며, 대형마트도 즉석식품을 중심으로 하는 PBPrivate

Brand(자체 브랜드) 상품 개발과 유통에 사활을 거는 것은 세상이 변했기 때문이다.

그럼에도 대형마트가 갖는 강점은 상품을 직접 보고 고를 수 있다는 것이다. 특히 신선식품의 경우 기존의 온라인 시장이 대체하기 어려운 영역이었다. 하지만 샛별배송, 로켓배송 등을 앞세운 온라인 유통업체들은 신선식품 시장에 지각변동을 일으켰다. 불가능할 것 같던 채소와 과일, 생선을 당일 배송으로 받아 볼 수 있게 되면서 시장의 판도가 완전히 바뀐 것이다. 결국 대기업들도 새벽 배송 시장에 뛰어들면서 빨라진 배송 시스템으로 과거 온라인 판매가 어려웠던 신선식품까지 사업 영역을 확장했다.

2020년 온라인 식품 시장 거래액은 무려 43조 4,000억 원에 이른다. 이중 농수축산물 시장은 6조 563억 원으로, 전체 온라인 식품 시장에서 차지하는 비율은 낮다. 하지만 식음료를 포함한 신선식품 시장은 20조 원에 이른다. 이는 대형마트의 신선식품 규모인 17조 원을 넘어서는 수치다. 또한 온라인 유통업체에서 취급하는 신선식품의 품질이 괜찮다는 반증이기도 하다. 특히 새벽 배송을 주도해 온 마켓컬리나 헬로네이처의 경우 프리미엄 식품을 취급한다는 이미지를 구축해, 비싸지만 안전하고 시중에서 구하기 어려운 '시그니처 식품'들을 공급하며 대형마트의 공세에 맞서고 있다.

한국에 대형마트 시대의 문이 열린 것은 1993년 서울 도봉구 창동에 이마트 1호점이 개점하면서부터다. 2013년 서울미래유산으로 선정된 이마트 창동점은 "선진국의 할인 업태를 벤치마킹하여 탄생한 이마트 창동점의 출현은 당시 유통시장 완전개방과 관련해 외국 선진 유통업체의 국내 진출에 대항할 자체 경쟁력을 확보하기 위한 노력을 의미하며 세계화가 시작된 후의 우리나라 유통산업의 발전상을 보여주므로 보존 가치가 충분"하다며 그 역사적 가치를 인정받았다.

1996년 유통시장이 개방되면서 월마트와 까르푸 등 여러 다국적 유통업체가 한국에 진출하지만 성과를 내지 못하고 철수하면서 한국형 대형마트의 규준인 이마트 모델이 주목을 받았다. 이마트는 창고처럼 상품을 높게 쌓는 방식이 아니라 소비자들의 눈높이에 맞는 진열 방식을 선택했다. 무엇보다 당시 한국의 소비자들은 외국계 대형 할인점에서 파는 즉석식품이나 냉동식품에 대한 선호도가 높지 않았기 때문에 신선식품을 사기 위해 대형마트에 오곤 했다. 게다가 대형마트는 백화점보다 덜 부담스럽고 재래시장보다는 쾌적했다. 때마침 '마이카 시대'가 열리고 여성 운전자들이 늘어나면서 주차장 시설이 갖춰진 대형마트에 대한 선호가 백화점을 앞서기 시작했다. 여기에 드라마나 영화에서 쇼핑카트를 끌고 온 가족이 대형마트에서 장을 보는 장면은 단란한 가족의 상징으로 비치면서, 주말에 '마트 가기'는 현대 도시인의 중요한 여가 생활이자 문화 생활이 되었다.

하지만 2010년대에 들어서면서 온라인 시장이 판을 키우기 시작했다. 초창기 인터파크나 G마켓 같은 1세대 온라인 쇼핑몰에 더해 쿠팡, 위메프, 티몬과 같은 소셜커머스 업체들도 대거 시장에 진출한다. 여전히 대형마트에 들러 상품을 직접 보고 골라야 하는 소비자들도 있지만 출퇴근 전철에서 스마트폰으로 간편하게 쇼핑을 하는 사람들이 늘어나기 시작한 것이다. 퇴근을 하면서 스마트폰으로 내일 먹을 찬거리를 주문할 수 있는 첨단 시대가 온 것이다. 직접 보고 사지 않아도 품질이 보장된다는 시장의 신뢰가 작동한 것이고 이는 유통의 혁신이기도 했다.

한번 온라인 쇼핑에 적응한 고객들은 오프라인 시장으로 돌아올 기미가 없다. 여기에 코로나19 사태까지 겹치면서 자의든 타의든 비대면을 권하는 사회가 되었다. 재난지원금 신청부터 온라인 수업, 그리고 온라인 장보기까지 전 국민이 온라인 생활을 하라 떠밀렸고 어쩌다 보니 적응까지 한 듯하다. 쇼핑카트를 끌고 마트의 시식 코너를 돌며 군만두도 먹어 보고 소시지도 먹어 보다 괜히 미안해져서 한 봉지 집어 들게 만드는 대면 판촉 방식은 이제 설 자리가 좁아질 것이다. 사실 팬데믹 이전에도 배달 애플리케이션으로 목소리 한 번 섞지 않고 음식을 시켜 먹는 비대면 접촉 세상은 이미 와 있었다.

사회의 문화와 제도는 비가역적이다. 무상 급식이 안착하고 난 뒤 그 누구도 도시락 시절로 돌아가자 하지 않고, 고속철 속도에 익숙해지면 무궁화호의 속도를 견디지 못하는 것처럼, 온라인으로 만사를 도모하는 세상에서 오프라인 시장의 힘은 점점 빠질 수밖에 없다.

점점 더 시장을 쥐고 흔드는 온라인 유통시장에 응전하기 위해 홈플러스는 '신선 AS센터'를 운영하기도 했다. 고객들이 고른 신선식품이 맘에 들지 않을 경우 이유도 묻지 않고 교환이나 환불을 해 주는 제도였다. 이는 온라인 유통업체가 소비자에게 배송한 신선식품 상태가 좋지 않아 불만이 있을 경우 빠르게 대응할 수 없다는 약점을 역이용한 것이다. 하지만 온라인 유통이 잡은 승기를 쉽게 꺾을 수는 없었다.

대형마트 3사는 온라인 유통을 강화하기 위해 심야 영업을 금지한 유통산업발전법의 개정을 요구하고 있다. 지금의 법에서는 할인점인 대형마트 3사는 원칙적으로 심야 영업을 할 수 없다. 새벽 배송과 같은 유통 채널을 갖추기 위해서는 따로 물류센터를 만들어야 하는 것이다. 하지만 이 법이 개정된다면 기존의 대형마트 매장에서 물류를 조직해 새벽 배송에 나서겠다는 계획이다. 쿠팡의 로켓프레시, 마켓컬리의 샛별배송, 그리고 빅 3 대형마트까지, 한국의 유통업은 새벽 전쟁 중이다. 이 전쟁의 승기를 잡는 것은 누가 더 빠르고 싸게 배송하느냐에 달렸다.

그리고 얼마나 싼 가격을 제시하느냐이다. 유일한 방법으로는 물류 속도를 높이는 것이다. 지역 거점마다 물류센터를 확보하고 첨단 설비를 갖춰 센터별 물류 처리량을 늘리는 데에 각 업체마다 사활을 걸고 있다. 후발 주자이지만 대기업들은 자본력으로 전자동 셔틀, 그리드 로봇 등을 갖추고 일종의 시설 싸움으로 승부수를 띄웠다. 속칭 '까대기'라 하는 사람의 노동을 얼마나 더 비싼 첨단 무기로 대체하느냐에도 승패가 갈리기 때문이다. 하여 연구자들은 물류 산업은 서비스 산업이기도 하지만 '장치 산업'process industry에 가깝다고 말한다. 물류를 뜻하는 '로지스틱스'는 본래 군사 용어인 '병참'에서 유래하였다고 한다. 마찬가지로 현재 유통업체들이 뛰어들고 있는 새벽 배송 시장은 유리한 고지를 선점하기 위한 고지전을 방불케 한다.

'신선 농산물'은 온라인 쇼핑몰의 주역인가

온라인 쇼핑의 새로운 모델이자 유수의 온라인 유통업체들의 경쟁 상대로 꼽히는 마켓컬리는 왜 한 번도 흑자를 내지 못하고 있을까? 마켓컬리는 신선식품 취급에 강점이 있는 업체이다. 친환경 농산물을 현지에서 픽업하고 배치하는 능력이 뛰어난 업체로도 알려져 있다. 판매율 상위에 랭크된 품목들은 동물복지농장 인증을 받은 축산물과 친환경 식품들이다. 여기에 가급적 환경에 부담을 덜 주는 방식의 친환경 포장을 해서 유통한다는 기업 방침을 홍보 포인트로 삼고 있다. 하지만 마켓컬리도 온라인 쇼핑몰에서 신선식품은 팔면 팔수록 손해라는 불문율을 깨지 못하고 있다.

신선도가 관건인 농수산물의 경우, 적정한 온도를 유지하기 위해 아이스팩을 넣어 스티로폼 포장을 한다. 한국의 소비자들은 까다롭기로 유명하다. 자신이 고르는 식품이 맛있고, 싸고, 안전하며, 예쁘기까지 해야 하는데, 이제 환경을 오염시키는 죄책감도 덜고 싶어 한다. 한때 보라색 리본 문양이 예쁜 박스를 시켰더니 농산물이 사은품으로 왔다는 농담이 있을 정도로 마켓컬리는 과한 포장으로 비판을 받기도 했다. 마켓컬리는 친환경 지향의 기업 이미지를 유지하기 위해서라도 친환경 포장재 개발에 투자하고 있다고 밝히고 있다. 문제는 이런 패키징 기술은 고스란히 원가에 포함된다는 것이다.

포장 및 배송 비용의 증가는 온라인 유통업체가 갖는 공통의 고민이다. 결국 새벽 배송 시장이 치러야 하는 신선도 싸움의 후과는 포장 비용이다. 물류량이 늘어날수록 그만큼의 포장 쓰레기를 양산해 낸다. 이에 기업마다 친환경 포장재 개발을 한다고는 하지만 이는 시간이 걸리고 무엇보다 이윤율과 직결되는 일이다. 그래서 타개책으로 삼는 것은 신선식품보다는 공산품 유통을 강화하는 것이다.

전체 온라인 시장의 식품 구매 비율은 10퍼센트 내외로 알려져 있는데, 그중 HMR 같은 가공식품이 큰 비중을 차지하고 농수축산물 비중은 3퍼센트 내외로 보고 있다. 대체로 소비자들이 온라인에서 많이 사는 상품은 휴지나 생수와 같은 생필품이 많고, 그다음은 전자제품과 같은 공산품이다. 밭에서 갓 따온 듯한, 바다에서 갓 잡아 온 듯한 신선식품을 집 앞까지 배송해 준다는 콘셉트를 내세웠던 온라인 유통업체들의 수익률을 떨어뜨리는 품목이 사실 농수축산물이었던 것이다. 그래서 온라인 유통업체에서는 가급적 농수산물의 품목을 늘리기보다는 잘 팔리는 품목 위주로 배치하되, 신선식품 배송의 선두 업체로서의 이미지는 유지할 수 있도록 신선 농산물로 밑밥을 까는 것이다.

국내 유수의 온라인 유통업체에 농산물을 납품하는, 특히 마켓컬리나 헬로네이처와 같은 프리미엄 식품 쇼핑몰의 이미지가 있는 업체와 파트너십을 갖는 농가는 소수의 농가이다. 이런 업체와 거래하는 농가는 선도 농가, 혹은 선진 농가라 하여 이미 농장이 규모화되어 있는 경우다. 또한 비교적 젊은 연령대인 40~50대의 생산자들로 직접 전자 상거래를 해 본 경험이 있는 경우가 많아 온라인 유통에 대한 기본 이해를 갖고 있다. 게다가 온라인 유통업체의 밴더들이 선호하는 농산물 품목도 한정된 편이다. 식량 작물인 곡물이나 콩류보다는 요리의 과정을 거치지 않고 바로 먹을 수 있는 과일이나 샐러드용 채소 같은 품목이다. 이런 품목을 기르는 농가는 한꺼번에 여러 온라인 유통업체의 접촉을 받곤 한다.

하지만 보통의 한국 농업 현실에서 온라인 유통에 대응할 수 있는 농민들이 과연 얼마나 될까? 고령의 농민들에게 가장 익숙한 농산물 유통 방식은 작목반 중심의 농협 출하와 상인들에게 넘기는 포전(밭떼기) 거래다. 그렇게 출하된 농산물은 전국 33개 공영도매시장에 모이고, 경매 입찰된 뒤에 다시 전국 소매점으로 분산되어 팔린다. 우리가 종종 마주치는 트럭 채소 장수나 채소 난전을 펼치고 있는 할머니들은 이런 유통 방식의 끄트머리를 차지하고 있는 것이다.

농정 당국은 이런 농산물 유통 방식은 재래의 방식이며 시대에 뒤떨어진 유통 방식이라 상정하고, 소비자들의 '니즈'를 파악하여 온라인 시장에 기민하게 대응하라 주문한다. 하지만 농촌은 여전히 '2G 폴더폰'의 세계에 머물러 있다. 우리가 먹는 대부분의 먹거리들은 이런 늙은 농민들의 손을 거쳐서 온다. 노인들의 나라인 농촌에서 ICT(정보통신기술)에 기반한 혁신적인 온라인 유통 시스템은 소수의 농가들에는 도움이 될 수 있지만 대다수 고령농들에게는 별나라 이야기일 뿐이다. 오히려 '가락동 농수산물시장'으로 상징되는 도매법인 중심의 독점적이고 후진적인 농산물 유통 시스템의 개혁에 힘써야 하는 것이 농정당국 본연의 임무다.

현관 밖에 사람이 있다

2020년에는 50여 일에 가까운 장마가 이어졌다. 2021년 여름에는 역대급 폭염이 기승을 부렸다. 농작물은 비에 녹아내리거나 햇빛에 타들어 가거나이다. 햇빛을 보지 못한 과일들은 일조량 부족으로 당도가 떨어져 설탕 주사라도 놓아 주고 싶을 만큼 물맛이 난다. 반면 너무 뜨거운 햇빛을 견디지 못해 과일이 화상을 입기도 한다. 맛있는 과일, 신선한 채소를 전면에 내세운 새벽 배송 업체들도 이 가혹한 기후 위기 속에서 용빼는 재주는 없을 것이다.

기후 위기의 주범 중 하나가 자동차에서 내뿜는 이산화탄소이다. 또 바닷속 생물들의 건강을 위협하고 급기야 사람들까지 위협한다는 미세플라스틱의 원인 중 하나가 플라스틱 포장재이다. 신선한 농수산물을 받아 먹기 위해 개발된 아이스팩과 스티로폼 박스가 우리 입으로 돌아오는 이 악순환에서 벗어날 수 있을까. 혁신적인 온라인 시장이라 하더라도 유통 물량이 늘어난다는 것은 그만큼 환경에 더욱 가혹하게 구는 일이다.

새벽 배송 시장이 대세를 잡으면서 패션부터 도서까지, 새벽 배송을 시작한다는 업체가 생기기 시작했다. 전쟁 같은 쇼핑 세계다. 아마 모든 기업들이 새벽 배송 전쟁에 뛰어들지 말지를 고민하고 있을 것이다. 발 빠르게 경비보안업체 1위 기업인 ADT캡스가 새벽 시간대 보안을 강화한 '새벽 배송 무인 경비 서비스'를 출시했다. 아마도 아파트에 이 패키지 상품 판매에 나설 것이다.

컴퓨터 모니터와 스마트폰 액정 위에서 미끄러지듯 오늘도 쇼핑을 한다. 주문한 물건은 잘 도착하지만, 현관 앞에 택배 박스를 두고 가는 사람은 누구인지 알 수 없다. 마치 사람이 아니라 차세대 택배 기사로 불리는 드론이 놓고 간 느낌이다. 하지만 끊이지 않는 냉동물류센터의 대형 화재 사고로 사람들이 죽어 나가고, 로켓배송을 하던 쿠팡맨이 계단에 쓰러져 목숨을 잃기도 한다. 온라인은 평화롭지만 실제의 오프라인 세계는 지옥일 때가 있다. 어젯밤 늦게 시킨 물품이 새벽녘 현관 앞에 놓여 있다면 사람이 다녀갔다는 뜻이다. 다만 그들은 초인종을 누르지 않을 뿐이다.

토니버거의 추억

종종 외식업 창업 설명회나 프랜차이즈 박람회에 가 본다. 요즘 유행인 음식이나 창업 유형을 파악하는 데 도움이 되기 때문이다. 창업의 고전 분야인 치킨점과 카페 말고도 세탁소와 청소업체 등 그 영역은 다양하다.

음식 영역으로 국한하자면 근래 수제버거 열풍이었다. 이 '수제'라는 말에도 어폐가 있다. 아무리 프랜차이즈 음식이라 한들 사람의 손을 거치지 않는 음식이 어디 있을까. 패스트푸드의 대표 선수인 햄버거는 맥도날드와 롯데리아, 버거킹과 같은 대형 프랜차이즈 업체가 점유하던 시장이었다. 하지만 근래에는 이런 곳까지 햄버거 가게가 들어오나 싶을 정도로 동네 곳곳에 맘스터치가 들어섰다. 미국의 고급 햄버거인 쉐이크쉑 버거의 약진도 화제였다. 그러다 비교적 신생 업체인 '토니버거'의 창업 설명회가 열린다 해서 찾아가 본 때가 2017년 겨울이다. 프랜차이즈 카페의 대명사였던 카페베네의 창업주 김선권 씨가 카페베네 경영을 실패하고 창업한 곳이어서 더욱 궁금했다. 프랜차이즈 사업가가 파산 수준으로 가맹점주들에게 큰 피해를 입히고 난 뒤에 같은 분야로 진출하는 것이 법적으로 금지되어 있기 때문이다. 즉 커피를 팔다가 망했는데 다시 커피를 팔아서는 안 되는 일이다. 그래서 아마도 그가 선택한 것은 햄버거가 아니었을까 싶다. 게다가 그 즈음 한국방송 주말 드라마 〈월계수 양복점〉의 주조연급 남자 배우의 아르바이트 장소로 나오면서 간접 광고도 시작하던 차였다.

설명회가 열리는 빌딩은 익숙한 곳이었다. 지금은 파산 상태인 카페베네의 본사가 있던 청담동의 그 빌딩이었다. 카페베네의 총본산이었던 그 빌딩 1층에는 토니버거의 본점 격인 청담점이 성업 중이었다. 창업 설명회를 들으러 가는 길에 일단 장사가 잘되는 토니버거 본점을 눈에 담고 들어가게끔 코스가 짜인 셈이다. 창업 설명회에 꽤 많이 다녀 본 터라 대충 이력이나 있지만 햄버거 분야는 생소했다. 워낙 대형 업체 중심이어서 창업 설명회라는 것을 여는 일이 거의 없기 때문이다. 꽤 큰 자본을 가진 사람들만이 뛰어들 수 있는 창업 시장이 햄버거였기 때문이다.

토니버거는 프라이드치킨 반 마리만 한 햄버거 패티가 빵(번) 바깥으로 나와 있는 것이 특징이었다. 설명회 장소에 도착해서 일단 토니버거 세트를 한 개 사 먹고 들어갔다. 성장세에 있는 햄버거 시장에 대한 이야기를 들었다. 대형 햄버거 가게뿐만 아니라 맘스터치라는 소규모 햄버거 가게도 약진하고 있지 않느냐며. 그다음엔 회사의 비전, 즉 본격적인 유혹의 손길이 훅 치고 들어왔다. 고깃집을 접고 무엇을 해야 하나 고민하는 형부에게 권유해 볼 마음으로 열심히 듣고 질문을 했다. 음식 기술이 없어도 며칠만 배우면 다 팔게끔 만들어 준다는 말은 이 분야의 경구에 가깝다. 그저 포장만 뜯어서 순서대로 쌓으면 된다고 말하니 기술 부족에 대한 두려움을 넘게 해 준다.

그리고 프랜차이즈의 최강점인 홍보 전략을 앞세운다. 원조 한류 스타가 지상파 광고도 찍는다며 지면 촬영 중인 송 모 배우의 홍보 영상을 계속 보여 주었다. 그런데 몇 달 뒤 막상 토니버거의 광고 모델은 그가 아니었다. 식당 경영을 하는 한 예능인을 앞세워 "너무 커, 너무 길어"라는 노래가 반복해서 나오는 코믹 콘셉트로 바뀌었고 그나마도 광고 프라임 타임에 배치되지 못했다. 그날 설명회에 참여했던 몇몇은 이미 토니버거 창업을 결심한 듯 보였다.

설명회에서 100호점 개점을 2018년 안에 달성하겠다고 했던 토니버거는 결국 70호점의 정점을 찍고 폐점이 이어졌다. 취재의 목적도 있었지만 앞에 말했듯이 형부에게 권업을 할 만한 사업인지도 알아보고 싶었다. 그때 현란한 말솜씨로 내게 성공을 설파하던 담당자는 프랜차이즈 사업에 꽤 지식이 깊은(?) 내게 흥미를 보였다. 그리고 마치 남들에게는 알려 주지 않는 성공의 비결을 알려 주겠다는 듯 이야기했다.

"사장님, 누가 햄버거로 돈을 벌어요? 가게를 하다가 가장 잘될 때 권리금 당기고 넘기셔야죠."

당시 카페베네 열풍의 막차를 탔다 큰 손해를 입은 카페베네 점주들은 피켓 시위부터 법적 소송까지 여러 어려움을 겪고 있던 때였다. 대체로 이들은 카페베네에서 근무를 하던 김선권 대표의 측근들이었고, 카페베네에서 하던 그대로, 그러니까 커피를 팔아서 돈을 버는 것이 아니라 이미지를 팔고 가맹점을 늘려 본사가 배를 불리는 프랜차이즈의 고질적인 병폐를 그대로 답습하고 있었다.

토니버거 공식 홈페이지는 2019년 이후에 업데이트도 되지 않고 남아 있는 소수의 매장들이 힘겹게 버텨 나가는 상황이다. 본사가 '먹튀'를 한 셈이다. 가맹 계약을 한 초창기 가맹점주들과 본사는 처음부터 삐걱거렸다. 계약서와는 달리 과한 물류비를 떼어 가고 미진한 홍보로 어려움을 겪는 토니버거 가맹점주들은 공정거래위원회에 김선권 대표를 제소했다.

어제 청담역에 내려, 작년 토니버거 설명회를 들었던 빌딩

앞에 섰다. 이미 집기들마저 다 치워진 토니버거 본점은 폐업 상태이고, 본부는 청담동이 아닌 송파로 옮겼단다. 김선권 대표는 시가 30억 원대 아파트를 경매 시장에 내놓았다지만, 30억으로 메워질 규모의 손실은 아니었다. 그날 내가 나누었던 토니버거와의 대화는 '꿈의 대화' 였었나. 김선권 체제에서 카페베네 점주들이 겪었던 공포영화의 재방송을 또 보게 될 줄은 몰랐다.

카페, 하시겠습니까?

혹했다. "월 매출 3,000만 원이면 원가가 750만 원, 순수익이 750만 원 정도를 예측할 수 있습니다." 750만 원을 살뜰히 굴려 희망찬 미래를 점쳐 보았다. 다만 3억 원에 육박하는 창업 비용은 사실 은행에 기대야 하고 순수익에서 대출이자와 원금 갚고 가족들 건사도 해야 한다. 간신히 창업 비용을 마련했다손 쳐도 좋은 가게 자릿세는 이미 천정부지. 무엇보다 월 매출 3,000만 원이 어디 그리 쉬운가. 한여름 밤의 꿈이다.

카페 창업 설명회는 치킨점 창업 설명회와 분위기가 사뭇 달랐다. 치킨은 뭐랄까, 퍽퍽한 삶이 고스란히 드러난다. 카페 창업 설명회 참석자들은 노트북을 꺼내 들고 날카로운 질문을 던진다. 아마 카페 운영 경험들이 있을 것이다. 나도 곁다리로 카페 운영을 해본 적이 있어서 귀동냥 정도는 하지만 그들의 질문은 차원이 달랐다. 종종 외식업 사업 설명회나 박람회에 들러 보곤 한다. 연구자로서, 가끔은 정말 노후 고민 때문에 말이다.

이날은 토종 브랜드를 내세우며 한때 승승장구하던 '카페베네'의 설명회였다. 무리한 사업 확장과 부실 경영으로 오너가 회사를 넘기고 CEO 회사로 전환한 곳이다. 이제 오너는 외국계 펀드회사다. 자본 잠식 상태의 어려운 사정이 많이 알려져 있어 과한 프로모션 없이 그저 제2의 도약 계획을 밝히는 정도였지만, 우리 모두의 머릿속에는 오직 이 한마디뿐. "3,000만 원 벌 수 있을까?"

전체 자영업에서 외식업 비율은 약 10퍼센트로 잡지만 실제로 20퍼센트에 육박한다. 한편 등록된 프랜차이즈 가맹 브랜드 5,300개 중에서 76퍼센트가 외식 업종이다. 프랜차이즈 산업은 곧 음식 산업이다. 그만큼 프랜차이즈의 분쟁은 외식업 분쟁인데, 회사끼리의 분쟁도 많고 본사와 가맹점 간 분쟁은 더 많다. 분쟁 유형은 다양하지만 계약서상 '갑'이고 진짜 갑이기도 한 가맹본부(본사)의 갑질 분쟁이 많다. 영업권 축소와 계약 해지 통보와 리뉴얼 강요, 판촉비 전가 등이 대표적이다.

그중 '영업권 축소'란 신규 출점을 하려고 기존의 영업권 거리를 좁힌다는 것이다. 동일 브랜드 지근거리 출점은 상권 침해다. 가맹점주들에게 상권은 곧 생명권이다. 하지만 본사는 기존 가맹점의 매출 확대보다는 신규 출점으로 일시불을 당기려 한다. 5년 계약을 보장한다면서도 실제로 계약서 조항에는 해마다 계약 갱신을 요구한다. 일종의 충성 맹세인 셈이다. 가게를 차려 놓은 마당에 접을 수도 없으니 본사의 요구에 따를 수밖에 없다. 종종 원부자재 밀어내기와 중단이라는 방식이 등장한다.

프랜차이즈 가맹계약서는 공정거래위의 '프랜차이즈(외식업) 표준계약서' 양식을 따른다. 하지만 프랜차이즈 본사들은 양식만 가져다가 쓸 뿐, 독소 조항은 곳곳에 있다. 의무 조항만 많고 권리 조항에는 취약한 프랜차이즈의 가맹계약서에서부터 불행은 시작된다. 가맹 거래사나 변호사에게 문의하라는, 또 돈 드는 소리만 해 댈 뿐.

2017년 '호식이두마리치킨'의 최호식 회장이 직원 강제 성추행 사건으로 검찰청 앞에서 '폴더 사과'를 했다. 추잡한 성추행 사건은 가족들이 함께 즐겨 먹는 치킨 이미지에 큰 타격을 주었다. 최호식 씨야 회장에서 물러나면 되지만(주식은 갖고 있죠?) 간판 걸고 영업하는 가맹점들은 어쩌란 말인가. 사과의 의미로 반짝 2주 할인 행사를 연다고 하지만, 2년도 아니고 2주 정도로 회복이 될 리 만무하다. 그동안 공정거래위의 표준가맹계약서에는 '오너 리스크'에 따른 가맹점주 피해에 대한 보상 조항은 없었다. 의무만 나부끼고 권리는 약한 가맹계약서 자체가 불공정의 실체이다.

2020년 1월부터 일명 '호식이 방지법'이 시행되었다. 프랜차이즈 본사 오너의 일탈 행위에 따른 손해에 대해 민사상 손해배상 책임을 명시한 것이다. 하지만 프랜차이즈 가맹점주들은 하루 벌어 하루를 사는 사람들이 다수다. 같은 동네에서 같은 브랜드의 치킨점들이 배달권으로 충돌을 할 정도로 각자 생존을 해야 한다. 무엇보다 프랜차이즈 가맹점주들의 단결이 어려운 이유는 가맹점주협의회를 구성했다는 이유만으로 가맹점의 계약 해지 통보나 여러 갑질을 당한 경험들이 있어 왔기 때문이다. 법이 현실보다 훨씬 늦었지만, 그나마 현실에서도 적용하기가 어려운 문제이다.

2019년 10월 떡볶이 프랜차이즈 '국대떡볶이' 김상현 대표가 극우 발언을 쏟아 내면서 한동안 국대떡볶이 불매 운동이 벌어지는 등 여러 논란이 있었다. 문제는 이 사안을 오너 리스크로 볼 수 있는지에 대한 논란도 바로 이어졌다는 것이다. 그저 개인의 정치적 발언일 뿐이라 우기지만 가맹점주와 그 가족들의 생사여탈권을 쥐고 있는 자들의 가벼운 입과 행동들에 일일이 대응을 해 나가기엔 지금 각자의 삶이 팍팍할 뿐이다.

'공공 카페'의 고민

『대한민국 치킨전』이란 책을 쓰면서 치킨점 프랜차이즈 창업 설명회에 취재를 하러 다니곤 했다. 아예 창업 학원에 가서 치킨 만들기 실습을 했었는데, 얼핏 보아도 요리가 손에 붙지 않는 중년의 남성들이 치킨점을 차려 보겠다고 기름 냄새에 현기증이 날 정도로 하루 종일 치킨을 튀기고 있었다.

많은 이들의 사연은 비슷했다. 아직 직장에서 떨려 나지는 않았지만 그날이 멀지 않았음을 감지한다. 40대 중반을 넘어서면서 준비 없이 세상 밖으로 나와야 하지만 아이들은 가장 돈이 많이 들어가는 입시생이거나 대학생들인 시기이다. 그래서 알량한 퇴직금을 밑천 삼아 장사에 도전하려니, 결국 치킨에 손을 댈 수밖에 없는 것이다. 도박에 손을 대듯 말이다. 치킨점 창업의 혹독함을 이들도 잘 안다. 하지만 자신은 성실하고 깡이 있으니 장사에 성공할 수 있지 않을까 하는 일말의 희망을 걸고 온다. 그들도 처음부터 치킨점을 차리려던 것은 아니라고 말한다. 하고 싶었던 것은 카페였다. 커피와 책을 실컷 즐기고 싶어서이기도 하지만 술을 팔지 않아도 된다는 것 때문이다. 무엇보다 자신의 취향으로 꾸며진 카페에서 커피를 파는 말년은 초라해 보이지 않을 것 같아서라는 이야기도 했다.

사회적기업으로 북카페를 만들어 공동으로 운영한 적이 있었다. 무료 인문학 강좌를 열고 독서 모임도 운영했다. 지역 작가들의 작품 전시회를 열고, 로컬푸드 식재료로 만든 음식도 팔았다. 해 보고 싶은 것은 다 해 본 셈이다. 무엇보다 공정무역 커피를 팔았다.

커피는 머나먼 아프리카나 남미 대륙에서 실어 와야 하고, 거기엔 노예 노동의 피땀이 스며들어 있다. 그래서 '제국의 음료'이기도 했다. 공정무역 운동은 현대에 들어서도 아프리카와 남아메리카 주민들이 자신이 먹을 식량이 아닌 유럽과 아메리카, 그리고 아시아의 부국인 일본과 한국 사람이 즐길 커피를 생산하느라 여전히 삶을 돌보지 못한다는 반성에서 시작된 운동이다. 한국도 이제 착취당하는 사회가 아니라 착취하는 사회로 전환된 지 오래다. 그래서 공정무역 커피를 팔았다. 좀 비싸더라도 뜻으로 먹어 달라 호소했다.

그러다 이런 카페를 해 보고 싶다는 사람들이 찾아왔다. 때마침 바리스타도 쏟아져 나오기 시작했다. 장애인, 노인, 결혼 이주 여성, 미혼모들의 취업 역량 교육 프로그램에서 바리스타들이 양성되었다. 창업이나 취업을 목표로 한 바리스타들도 넘쳐나기 시작했다. 사회적기업 담당 주무부처에선 인건비를 지원할 테니 취약계층을 바리스타로 고용하라고 권유도 하고, 장애인 바리스타 현장 실습장으로 우리 카페를 활용하기도 했다.

그중에서도 기억에 남는 일은 미혼모 시설을 운영하는 수녀회의 방문이었다. 나는 진심으로 수녀님들을 만류했다. 커피를 팔아 도저히 생계가 꾸려지지 않기 때문이다. 미혼모의 자립을 위해서라면 카페는 수익 모델로는 불가능하다는 것을 설명했다. 교회의 지원이 있는 동안은 버틸 수 있을지 몰라도, 결국 자립을 할 수 있는 구조가 카페로는 도저히 나오지 않기 때문이다. 눈만 뜨면 새로 생기고 사라지는 것이 카페다. 이런 정글에서 살아남을 수 있을지 확신할 수 없기 때문이다. 그래서 적자 상태인 우리 카페의 실상을 말씀드리고 재무제표를 꺼내 보이면서까지 숙고하기를 바랐다. 하지만 수녀님은 많이 난감해 하셨다.

"아유, 어쩌나! 벌써 커피머신을 들여놨어요."

이런 사례는 무수히 많다. 뜻이 앞서서, 자선을 목적으로 카페를 해 보겠다는 사람들의 방문이 끊이지 않았다. 특히 지원 사업으로 카페 창업 붐이 불었다. 공공 기관에도 복지센터에도 앞다투어 카페가 들어섰다. 커피 권하는 사회가 된 것이다.

하지만 이런 현상에는 그 어떤 지원도 없이 오로지 커피 한 잔에 생계를 구해야 하는 '골목 카페'에 대한 고민이 빠져 있다. 장사란 건물주가 아닌 이상 임대료를 내야 하고 고용 인력에 대한 인건비를 내야 한다. 그런데 골목 카페 점주의 입장에서 보자면 '공공 카페'는 이 두 가지가 단박에 해결된 곳이다. 심지어 손님이 있거나 없거나 냉난방을 하는 광열비조차 부담이 없는 것도 부러울 뿐이다.

시내에서 약속을 잡기 좋은 장소로 알려진 교회 카페들이 있다. 주로 대형 개신교회에서 운영하는 카페는 시설이나 인테리어가 프랜차이즈 카페 못지않게 잘 꾸며진 데다 커피 값도 싸다. 직접 빵을 구워서 팔기도 하고 브런치가 맛있기로 소문난 교회도 있다. 몇몇 유명한 사찰에서도 카페를 운영하고 있다. 술을 기피하는 종교의 특성상 커피는 금기가 없는 음료이고, 신도들의 친목을 카페에서 도모할 수도 있다. 또 외부인이 왔을 때는 선교의 계기로 삼을 수 있어 매력적이다.

종교 시설에서 운영하는 카페의 특징은 음료의 가격을 매겨놓지 않는다는 것이다. 자선이나 운영 기금에 보태겠다는 등의 이유로 헌금의 성격을 부여하기 때문이다. 하지만 현실적인 이유는, 가격을 매길 경우 영업 행위에 해당하고 그러면 세상의 절차에 따라야 한다. 즉 세금을 내야 한다. 몇몇 대형 개신교회의 카페는 본래의 취지와는 다르게 탈세 의혹의 중심지로 주목 받기도 했다.

하지만 이런 흐름이 꺾이지는 않는 것 같다. 십 년 전만 해도 대형 교회 근처의 카페 상권은 웃돈의 권리금을 줄 정도로 인기 상권이었다. 예배를 마치고 쏟아져 나오는 신도들이 카페의 중요한 소비자이기도 했기 때문이다. 그러나 이제는 외려 반대의 분위기다. 대형 교회 근처에서 카페를 해 봤자 파리만 날릴 뿐이라는 이야기도 있어서, 적어도 카페 업종에는 프리미엄이 붙지 않는다.

가톨릭이라고 이런 분위기와 다르지 않다. 규모에 따라 다르기는 하지만 많은 성당에서 간이 카페라도 마련해 미사를 마친 신자들의 발길을 잡아 둔다. 가톨릭 교회는 카페 열풍의 후발주자인 데다 또 부동산 소유권을 갖지 않기 때문에 본격 영업이라고 말할 수 없지만 고민을 해 볼 지점은 분명히 있다.

성당 카페는 전형적인 '주말 장사'다. 하지만 주일에 미사를 끝내고 성당에서 쏟아져 나오는 신자들을 물끄러미 바라봐야 하는 근처 카페 사장의 얼굴을 본 적이 있을지. 장사란 결국 지나가는 모든 행인들에게 촉수를 세우는 일이다. 그리고 모든 장사는 주말 장사에 목숨을 건다. 교회에서 소박한 뜻으로 시작해 이윤을 추구하지 않는 일이라 하더라도 결국 '우리끼리'의 소비 행위가 되는 일에 대해서 깊게 생각해 본 적이 있을까.

한국에서 가장 혹독한 직업군은 자영업자들이다. 700만 명 정도로 보지만, 부부가 함께 하거나 동료들과 창업을 하는 경우가 많고 가족들 전체의 생계가 걸리는 경우가 많다. 그래서 인구의 4분의 1 수준이다. 이들은 오너가 아니라 실상은 스스로의 봉급을 만들어 내야 하는 노동자일 뿐이다. 자영업이 많은 나라의 특징은 공공 부문의 일자리가 취약하고 고용안정성이 아주 낮다는 것이다. 한국의 자영업은 IMF구제금융 사태 이후에 폭발적으로 증가했다. 너도나도 장사에 뛰어들어 생계 수준 이하의 수익을 내거나 만성 적자이다.

공공 기관이나 종교 시설에서 생각해야 할 이웃들 중에는 영세 자영업자들도 존재한다. 커피가 필요하다면 이웃의 작은 카페에서 마시면서 그들과 상생하는 방법을 고민해 보아야 하지 않을까.

기프티콘의 세계

사는 게 바빠 직접 만나기도 힘들고, 이 정도면 서로 부담 없겠다 싶어 종종 주고받는 선물이 카카오톡 '기프티콘'이다. 기프티콘은 SK플래닛이 쓰는 이름이지만 보통명사가 되었다. 정확히는 '모바일 상품권'이라 부른다.

1960년대에 제정된 '상품권법'에 따라 허가를 받은 사업자들이 인지세를 내고 조폐공사에서 찍었던 상품권은 일종의 유가증권이다. 백화점, 제화, 주유, 도서 상품권이 대표적인 종이 상품권이다. 한때는 '상품권 깡'이나 뇌물로 쓰이면서 탈도 많았다. 20년 전에 상품권법이 폐지되고, 상품권은 어떤 사업체든 발행할 수 있게 되었다. 그동안 오프라인 시장을 압도할 정도로 온라인 시장이 커졌다. 스마트폰에 기반한 플랫폼 비즈니스도 크게 성장해 소비자들은 편의를 누린다. 출근 전철에서 스마트폰으로 쇼핑하고 저녁 퇴근길에 배송을 받는 세상이다. 모바일 상품권은 식품부터 생활재까지 아우르면서 1조 원을 훌쩍 넘는 큰 시장이다. 이 시장의 최고 강자는 카카오다.

나도 카카오톡으로 선물 받은 치킨 상품권을 써 볼 일이 생겼다. 치킨점 취재를 꽤 했던 터라, 저간의 사정을 모르지 않아 치킨을 시켜 먹을 때 신경을 많이 쓰는 편이다. 배달 어플 수수료라도 아끼시라고 직접 전화로 주문을 하고 가급적 현금 결제를 한다. 무엇보다 내 번호가 주문 이력에 저장되어 있어 모니터에 자동으로 뜨기 때문에 "몇 동 몇 호지요?"라고 알아봐 주는 것도 좋다. 그런데 이번에는 기프티콘으로 결제를 한다고 하니 "죄송하지만" 주문 불가 매장이라 했다. 중앙 콜센터에 전화를 해서 인근의 모바일 상품권 취급점에서 시켜 먹는 방법도 있긴 하지만 그렇게까진 하고 싶지 않아 치킨 상품권을 환불했다. 10퍼센트의 환불 수수료를 제하고 현금이 며칠 뒤에 통장에 들어왔다. 본의 아니게 '기프티콘 깡'을 한 셈이다. 이것도 법이 바뀌어 환불 절차가 간편해진 편이다.

생각보다 많은 치킨 프랜차이즈 가맹점들이 기프티콘 결제를 거부한다. 팔지도 않을 거면서 상품권은 왜 파느냐는 소비자의 불만은 당연하다. 그래도 욕을 먹으면서도 주문을 받지 않는 이유는 기프티콘으로 결제를 받으면 가맹점 점주들이 내야 할 수수료율이 너무 높아서다. 치킨점의 경우 6퍼센트를 넘는 곳이 많다. 심한 곳은 수수료가 10퍼센트에 육박하고 결제액 정산도 거의 일주일이 걸린다. 장사란 것은 당일 결제할 것들이 많은데 정산이 너무 느리다.

프랜차이즈 본사와 카카오가 맺는 상품권 수수료율은 모두 다르다. 모 제과 프랜차이즈의 경우 수수료는 3퍼센트다. 업체의 파워에 따라 달라지는 것이다. 영세 업체일수록 수수료율은 더 높다. 프랜차이즈 본사에서 상품권 결제 수수료를 부담하기도 하지만 대부분 그 부담은 가맹점주들이 떠안는다. 연매출 3억 원 이하의 영세 업장은 현재 신용카드 수수료율이 0.8퍼센트이고, 체크카드는 0.5퍼센트이다. 연매출 10억 원이 넘는 큰 규모의 업장이더라도 신용카드 수수료율이 1.6퍼센트인데, 모바일상품권 수수료는 지나치게 높다. 프랜차이즈 본사는 상품권 발행으로 안 먹을 사람도 먹게 되니 매출 증대와 홍보에 도움이 된다고 말한다. 한번 깔린 플랫폼 비즈니스에서 이탈할 수도 없는 현실적인 이유도 있다. 하지만 점주들은 많이 팔아 봤자 남는 것도 없고 결국 몸만 축날 뿐이라 말한다.

완전경쟁 시장인 치킨은 소수점 이윤 싸움을 한 지 오래다. 그런데 배달 어플이라는 플랫폼이 등장해 시장을 뒤흔들더니 이제 모바일 상품권이 등장해 이래저래 또 뜯길 일이 생겼다. 사정 모르는 이들에게 들어 먹는 욕은 덤이고 말이다.

고구마를 굽는 사람들

1980년대 대학생이던 사촌 오빠들이 겨울에 나섰던 아르바이트가 군고구마와 졸업식 꽃 장사였다. 그 시절 군고구마를 팔던 청년이 이제 중년을 넘어선 나이다. 이들이 따끈한 군고구마를 사 들고 퇴근을 하는 겨울 풍경화를 그려 보면 자못 서정적이긴 하지만 상상화에 가깝다. 2000년대 초반 고구마를 집에서 구워 먹을 수 있는 직화 냄비가 등장했다. 홈쇼핑에서는 고구마를 사면 군고구마용 직화 냄비를 서비스로 줄 정도로 흔했다. 집집마다 고구마를 직접 구워 먹기 시작했고, 나도 마찬가지다. 우리 아이들은 군고구마는 엄마가 구워 주는 '가정 요리'로 여길 것이다.

그래도 여전히 군고구마를 팔아 보려는 사람들이 있는지 군고구마통이 팔리고 있다. 군고구마통의 유형은 '장작형', '가스형', '원적외선형'으로 나뉜다. 장작으로 불을 때서 굽는 장작형은 20만 원 선이지만 번거롭다. 가스형은 가스비가 만만찮고, 전기를 꽂아 원적외선으로 굽는 군고구마 기계 값은 150만 원도 넘어 처음부터 '창업 비용'이 높은 편이다.

군고구마만 팔려는 사람은 많지 않다. 운영 중인 가게에 '숍인숍'으로 들여놓고 한철 팔아 보려는 요량이다. 카페에 호객용으로 들여놓기도 하고, 손님이 뜸한 겨울철 채소 가게 한편에 놓고 가욋돈이라도 벌려는 용도 정도다. 그런데 하나같이 큰 재미는 못 보는 모양이다. 중고 시장에 '군고구마통 팝니다'라는 글이 제법 눈에 띄는 걸 보면 말이다. 하긴 겨울 한철 편의점마저도 군고구마를 팔고 있으니 단일 메뉴로는 경쟁력이 전혀 없다.

근래 군고구마 직화 냄비를 뛰어넘는 열풍의 주인공은 '에어프라이어'다. 튀김은 먹고 싶지만 기름은 부담스러운 마음을 파고들어 필수 가전으로 자리 잡기 시작했다. 4대 홈쇼핑에서는 연일 에어프라이어를 판매 상품으로 내놓는다. 이미 팔릴 만큼 팔렸지 싶은데도 커진 용량, 새로운 기능과 디자인으로 재구매를 권유하는 중이다. 유수의 가전 회사마다 업그레이드된 에어프라이어를 출시하고 있고 당분간은 성장 시장이라고 장담을 하고 있다.

에어프라이어 열풍이 불다 보니 재빠르게 식품 기업들도 에어프라이어 전용 냉동식품을 앞다투어 출시 중이다. 어쩌다 에어프라이어를 한 대 들여놓은 나도 쏠쏠하게 써먹고 있다. 전날 먹다 남긴 치킨을 데우거나 콩을 튀기는 데 요긴해서 일단 전기세는 다음 달에 생각하기로 하고 연신 돌려 대는 중이다. 급기야 재미가 들려, 잘 사지도 않던 냉동 감자와 냉동 만두, 치킨너깃 같은 냉동식품들도 덥석 집어 들고 오는 바람에 지금 냉동실이 터져 나갈 지경이다. 평소엔 식용유가 너무 많이 들어 식구들 다 모이면 큰맘 먹고 튀겨 먹던 것들도 기름을 덜 바른다는 이유로 더 튀겨 먹게 되는 묘한 상황이 벌어지고 있다.

쇼호스트들은 에어프라이어를 팔면서 "집에서 직접 해서 드시라"는 집밥 전도사 같은 말로 유혹을 한다. 재료를 사다가 (막상 신선 재료는 고구마나 삼겹살 정도다) 직접 해 먹으면 외식비가 줄어들어 가정 경제에 도움이 될 것처럼 말한다. 마트 영수증을 보며 갸우뚱거리고는 있지만.

이제 에어프라이어와 가정간편식 시대가 열렸다. 이런 시대에 입에 풀칠을 하겠다며 호구지책으로 음식 장사에 나선 이들의 운명은 어떻게 될까. 쫓기며 장사를 하는 길거리 장작구이 통닭과 삼겹살을 굽는 저이의 운명이 군고구마 장수의 운명과 똑같아 보인다.

홈쇼핑 셰프 전성 시대

먹거나 부르거나. 텔레비전을 틀면 딱 저 두 개다. 연예인들이 나와 무언가를 먹거나 노래를 부르거나다. 아예 요리사들이 복면을 뒤집어쓰고 노래까지 하니 예능의 융합시대다. 스타 셰프 현상, 정확히 말하자면 '남성 스타 셰프 현상'에 대한 다양한 진단은 넘친다. 주로 음식의 영역이 젠더 편향이 강해 여성을 소비 주체로 보고 콘텐츠를 짜기 때문에 남성 셰프들이 주로 활약을 한다. 강의에 가서 "여성 셰프 이름 좀 대어 보세요" 하면, 중년 여성들도 남성 요리사의 이름은 줄줄 꿰지만 여성 요리사는 '빅마마'를 꼽는 정도이다. 그나마 본명은 모르는 경우가 더 많다. 가끔은 한복선 씨나 액젓으로 유명한 하선정 씨를 대답하기도 하고 탤런트 김수미 씨를 꼽기도 한다. 주로 반찬 만드는 일이다.

세상의 음식은 대체로 여성들 손에서 만들어지지만 대체로 큰 인기와 돈을 버는 이들은 남성 셰프들이다. 이에 대한 나름 논리적인 해명으로는 셰프의 세계가 매우 폭압적이고 위계질서가 강해서 여성들이 살아남기 어렵다는 것이다. 즉 칼과 불, 그리고 욕설과 폭력적인 군대 분위기에 여성들이 적응하지 못하고 나가기 때문이라 한다. 주방장을 일컫는 '셰프'chef가 실제로 군대의 직위에서 따왔으니 처음부터 군대의 성질을 갖고 있기는 하다. 그럼 역으로, "수십 자루의 칼과 대형 솥, 그리고 아주 커다란 가스 불을 다루는 학교급식 현장에는 왜 100퍼센트 여성 조리사들이 배치되는 것일까?"라고 반문하면 다들 입을 닫는다. 학교급식 현장에는 힘 좋은 장정들이 가면 딱이지만 안 가는 이유는 임금의 차이 때문인 것이다. 요리의 세계에서 여성 셰프가 살아남기 어려운 이유는 무겁고 위험한 현장이어서가 아니라 처음부터 여성 요리사가 배제된 시장이 고급 레스토랑 시장이기 때문이다.

이제 스타 셰프들은 소속사와 계약해서 전문적인 매니지먼트까지 받는다. 유명 셰프들이 유명 연예인 소속사와 계약을 맺으면 연예면 기사에 실리는 세상이다. 방송에서는 셰프들의 요리가 넘쳐 나고 입맛을 다시지만 그 음식을 먹어 보려면 내가 연예인이 되든가 그 레스토랑에 가는 방법뿐이다.

그런데 셰프의 요리를 손쉽게 만나는 방법이 있으니 바로 홈쇼핑이다. 광고가 길어지면 리모컨을 쥐고 여기저기 채널을 돌려 보는 '재핑 타임'zapping time에 잠재적 '고객님'인 시청자의 마음을 낚아채야 하는 홈쇼핑은 그 자체로 예능 요소가 강하다. 아예 인기 푸드쇼 〈냉장고를 부탁해〉의 방식 그대로 유명 셰프 두 명이 나와 요리를 한다. 자신이 경영하는 레스토랑의 스테이크 소스를 그대로 담았다며 멋들어지게 접시에 담는다. 소금을 높게 뿌리는 시청자 서비스는 덤. 이어지는 '매진 임박' 자막과 '완판 신화'의 팡파르가 울려 퍼지면서 쇼는 끝난다.

홈쇼핑은 상품을 직접 만지고 맛볼 수 없다는 점에서 쇼핑호스트의 설명과 이미지에 의존한다. 그래서 빠른 이미지 주입을 하려면 유명인 마케팅이 가장 효율적이다. 식품은 솜씨 좋기로 소문난 유명 연예인의 이름을 건 간장 게장이나 김치, 장아찌 등속이더니, 이제는 레스토랑을 경영하고 푸드쇼 패널로 나오는 셰프들이 홈쇼핑에 등장해 '론칭 쇼'를 한다. 일곱 개 채널인 홈쇼핑에 유명 셰프들이 진출하면서, 4만 원에 가깝지만 느낌은 3만 원 같은 39,900원의 공고한 가격 철벽도 무너졌다. 이제 9만 원에 가깝지만 8만 원 같은 89,900원의 시대다. 그리고 은근히 이미 내가 운영하는 레스토랑 예약은 일 년치 밀려 있으니 싸고 간단하게 여기에서 사 먹으라고, 어차피 똑같은 맛인데 가성비 좋다는 멘트는 팬들을 위한 배려일까.

어쩐지 셰프의 레스토랑에서 만들어져서 올 것 같은 이 음식들은 결국 큰 공장에서 만들어져 온다. 실제로 모 유명 셰프의 스테이크 제조업체는 패밀리 레스토랑과 여러 홈쇼핑 채널의 육가공품을 납품하고 있는 육가공 제조업체이다. 그러거나 말거나 맛만 있으면 된다. 하지만 내가 굽는 이 스테이크가, 내가 튀기는 칠리 새우가 진짜 그 맛인지 확인할 길은 없다. 레스토랑처럼 고급 식기가 있는 것도 아니고 심지어 나이프도 없으니 과일칼로 썰어 먹어야 하나. 만만한 식용 가위가 눈에 들어온다. '미듐 레어'의 취향도 부족한 내 요리 실력과 성능 떨어지는 조리 도구 앞에서 멈춘다.

나는 여전히 배가 고프다. 허상 반, 고기 반을 먹어서 그런가. 하나 3개월 무이자이긴 해도 89,900원이면 CU 백종원 김밥 50줄 값이다. 그나마 취준생 청년들은 〈집밥 백선생〉을 보면서 1,700원짜리 CU의 백종원 김밥이나 씹고 사는 세상인데 말이다. 우리가 돈이 없나? 다 없지.

생을 깔다, 깔세 매장

신도시 상가 건물에는 무엇이 들어오나 궁금해서 간판 구경에 종종 나서곤 한다. 컨테이너 박스에 차려진 부동산들은 건물이 완공되기도 전에 이 상가에는 병원과 약국, 대형 프랜차이즈 커피점이 들어설 예정이라며 설레발을 치며 투자를 권유하곤 한다. 지금 집에서 쓰고 있는 행주가 다 이런 '컨테이너 부동산'에서 얻어 온 것들이다. 하지만 막상 그 건물 자리엔 들어오기로 했다는 유명 커피점이 아니라 저가 테이크아웃 커피점이나 한철 뜨다 지고 말 복고풍 고깃집들이 자리를 잡곤 한다. 결국 병원이나 대형 프랜차이즈 커피점 임차인을 들이고 싶은 것은 건물주의 '빅 피처'이자 '로망'일 뿐이다.

내가 사는 아파트 단지는 신도시가 들어서면서 갑자기 구도심이 되어 버렸다. 아파트 이름이 촌스러워 부동산 가치가 떨어진다며 발음도 어렵고 뜻은 더 모르겠는 라틴어풍의 이름으로 개명 추진 중이다. 게다가 최신 브랜드 아파트의 상징인 문주를 세우겠다며 5천 원씩 집주인들에게 징수해 갔다. 하지만 가장 먼저 가치 하락을 겪고 있는 데는 아파트 상가다. 중심상가 1층 100평대 임차비가 거의 1천만 원에 육박한다는데, 대체 빵을 몇 개나 팔아야 저 가겟세를 감당하려나 싶어 대기업 빵집 걱정을 할 정도였다. 이런 동네에 '깔세' 매장이 들어서기 시작했다.

깔세란 단기임대차, 즉 보증금이나 권리금 없이 시세보다 높은 월세를 한두 달치 미리 내고 주택이나 상가를 임차하는 것이다. 말 그대로 세를 미리 깔고 시작한다는 뜻의 부동산 은어다. 선거 사무실을 빌릴 때도 이런 깔세가 활용된다. 거리에서 마주치는, '공장 부도', '폐업 정리', '눈물의 고별전', '땡처리' 같은 현수막을 걸고 등산복이나 속옷, 양말, 화장품, 치약이나 비누 같은 생필품을 한길까지 쭉 늘어놓고 파는 매장이 그런 곳이다. 짧게는 일주일, 길어 봤자 두세 달 정도 반짝 영업을 하고 사라진다. 문패도 번지수도 없는 이런 가게는 주로 현금을 선호하지만 요즘은 대여된 신용카드 단말기를 사용하면서 '신용카드 환영'이란 문구도 붙이곤 한다. 카드 영수증에 뜨는 사업자 등록지가 엉뚱한 이유이다.

깔세만 전문으로 운영하는 소위 '깔세 자리부장'도 있다. 여러 깔세 매장을 동시에 운영하면서 '일세'라 하여 매일매일 일수를 걷듯 깔세 매장 상인에게 받아 간다. 깔세도 상권에 따라 그 가격은 천차만별이다. 자리부장들은 심지어 장사 품목도 제안을 해 준다. 폐업 처리만 전담하는 업체들이 쟁여 둔 '땡처리', '왕도매' 물건을 떼다 깔세 매장에서 팔도록 주선해 준다. 요즘처럼 일자리 구하기 어려운 시대에 결국 장사나 해볼까 하는 이들에게 깔세 매장은 강력한 유혹이다. 창업비 중에서 큰 부담인 보증금을 마련하지 않고도 시작할 수 있기 때문이다.

심지어 조직적인 깔세 업자들도 있어 폐점하는 대형 쇼핑몰에 단체로 입점해 이벤트처럼 치고 빠지는 경우도 많다. 당연히 물목이 겹치는 인근 상점에 큰 타격을 준다. 노점상은 단속반이라도 뜨지, 깔세 매장은 어떻게 할 도리가 없어 더욱 고약하다 말한다. 이렇게 깔세 매장은 기존 상권과 많은 충돌이 나지만 건물주들이야 뭘 팔든 임대료만 잘 걷히면 그뿐이다.

수많은 상가에 임대 문의 현수막이 걸린 지 오래다. '내부수리 중'이라는 메모지가 붙어 있지만 공사의 흔적도 없고, 공과금 계고장이 문틈 사이에 끼워져 있을 뿐이다. 날렵한 솜씨로 문틈 사이에 꽂은 사채업체 명함만 가득 쌓여 있다. 불황의 대표적인 현상인 깔세 매장이 점점 더 많아진다는 것은 분명 위험 징후이다. 추석 연휴 전날인 2020년 9월 29일 여야 합의로 코로나19로 고통에 빠진 소상공인들을 보호하기 위한 새로운 '상가건물 임대차보호법'(약칭 상가임대차법)이 공표되었다. 하나 이미 많은 소상공인들이 보호를 받지 못하고 가게의 문패를 떼고 번지 없이 떠돌고 있다. 늦었다 했을 때는 정말 늦은 것이다.

구슬아이스크림 녹던 날

내가 사는 아파트의 중심 상가에는 이마트가 있다. 아파트 단지가 설계될 때부터 근린 상가의 중심에 이마트가 배치되고 그 주변으로 자잘한 소형 상점들이 입점해 있는 보통의 아파트다. 대형마트의 위력이 예전만큼은 아니더라도 아파트에 사는 한국의 표준 가족들에게 대형마트는 여전히 생활의 중심이다. 도시의 대형마트는 단순한 소비의 공간만이 아니라 복합 문화 공간이기도 하다. 주말에 가족들이 함께 카트를 끌면서 쇼핑을 하는 풍경은 희미해져 가는 가족공동체의 끈을 확인하는 의례에 가깝다.

한여름과 한겨울, 대형마트에 사람이 몰리는 이유는 냉방과 난방이 충분해서다. 눈과 비를 피할 수 있고 깨끗한 화장실과 위생 시설, 그리고 주차장까지 구비되어 있으니 이보다 더 완벽할 수는 없다. 수은주가 치솟기 시작하면 동네 최고의 피서지는 이마트이다. 이른 시간부터 체험용 안마 의자엔 노인들이 도열해 있고, 키즈 카페에선 아이들이 에어컨 바람 밑에서 땀을 흘리며 놀고 있다. 나도 하릴없이 물건 구경을 하면서 더위를 좀 식힐 요량이었지만 손에는 두부 한 모라도 꼭 집어 들기 마련이다.

2011년 7월 2일 토요일, 여름 초입이었다. 최고기온 26.8℃. 그런데 상대습도가 82.3퍼센트에 이르는 날이었다. 한국 여름이 견디기 힘든 것은 높은 습도 때문이고 에어컨은 습도를 낮춰 사람들의 살갗을 보송보송하게 만드는 요물이다. 습도가 높은 7월의 첫 번째 토요일. 우리나라 최초의 아파트 신도시인 일산의 주민들은 어디로 나들이를 갔을까. 일산호수공원도 좋았을 것이다. 때마침 오랜만에 가족들이 모여 삼겹살이라도 구워 먹기로 하고 이마트에 장을 보러 갔을지도 모르겠다. 쇼핑카트에 아이를 태우고 일주일치 장을 보러 나선 한 가족의 행복한 웃음을 상상해 본다.

하지만 그날 이마트 탄현점에는 이런 가족들이 한둘이 아니었던 모양이다. 사람들이 몰리고 냉방 효율이 떨어지자 에어컨 냉매를 주입하러 네 명의 노동자가 왔다. 에어컨 냉매를 주입하다 그 자리에서 네 명의 노동자가 목숨을 잃었다. 사인은 질식사였다. 목숨을 잃은 네 명의 노동자 중 한 명이 고故 황승원 군이다. 사고가 처음 보도되었을 때는 아르바이트생으로 나왔지만 나중에 알려진 그의 이름은 '황승원'이다. 서울시립대 경제학부 1학년 휴학 중이라는 그의 프로필만큼이나 스물두 살의 인생도 짧았다.

황승원 군은 학교 동기들조차 잘 기억하지 못하는 학생이었다. 형편이 빠듯해, 친구를 만나면 돈을 써야 하니 자신에게는 친구도 사치라며 집에서 어머니와 막걸리 한잔을 먹는 일을 즐거움으로 삼았다고 한다. 그는 학교 수업만 겨우 듣고 알바를 가거나 공부를 하러 가야 했으니 캠퍼스의 낭만은 한갓진 남의 얘기였을 것이다. 세종대 호텔경영학과 1학년을 다니다 등록금이 싸다는 시립대 경제학부에 다시 입학한 수재였지만 짧은 대학 생활 2년 동안 남은 것은 학자금 대출 천만 원이었다. 이것이 그의 스물두 살 짧은 행장이다.

황승원 군의 사연이 오르락내리락하면서 시립대 총학생회가 움직이고 국회의원들이 움직였다. 아르바이트생일 뿐인 황승원 군의 죽음에 책임을 지지 않으려던 이마트도 협상에 나서 뒤늦은 장례가 치러졌다. 그렇게 '이마트 사고'라 명명된 황승원 군은 살았다면 삼십 대가 되었을 것이다.

2011년 여름, 아이 둘을 데리고 이마트로 피서를 갔다가 아이들이 졸라 대는 통에 구슬아이스크림을 사 주었다. 구슬아이스크림을 들고 밖으로 나오니 아이스크림이 순식간에 녹아 버릴 태세였다. 화들짝 놀라 다시 이마트로 뛰어들어갔다. 구슬아이스크림이 녹지 않을 만큼의 냉기를 유지하려던 그 처절한 노동을, 그리고 그(들)의 죽음과 혹서를 기억한다. 어엿한 성인인 그를 '황승원 씨'가 아니라 '황승원 군'이라고 고집스레 언명하는 이유는 어쩐지 그이 앞에서는 한없이 부끄러운 어른이어야 하고 기성세대여야 할 것 같아서다. 고 황승원 군을 기억하며 적는다.

이마트의 지하 세계 앞에서

장을 볼 시간도 부족하고 근처에 시장도 없어서 생활협동조합을 이용하기도 하지만 결국 대단지 아파트 생활자는 대형마트와 함께 살아간다.

2018년 3월 28일 수요일 오후 4시 27분경. 멜로디가 각각인 소방차, 경찰차, 구급차 사이렌 소리가 뒤섞여 아파트 단지를 흔들었다. 사람이 죽었단다. 그것도 동네 이마트에서. 매월 둘째, 넷째 수요일은 동네 이마트의 격주 휴무일이다. 휴무일인지 모르고 주민들이 종종 헛걸음을 하는 날이기도 하고, 눈치를 보던 채소나 과일 노점상들도 조금은 마음을 놓고 전을 펼치는 날이기도 하다.

그런 보통의 날이었건만 무빙워크 안전 점검을 하던 스물한 살의 청년이 빨려 들어갔다. 요란했던 사이렌 소리는 이 사고 때문이었다. 딸기 한 상자와 고등어 한 손을 사서 오고 가는 곳, 동네 조무래기들이 장난 삼아 반대 방향으로 뛰면 안전요원들이 나무라던 그 무빙워크. 무거운 쇼핑카트 바퀴를 옹이 박듯 잡고 사람의 품을 덜어 주던 그 무빙워크에 내가 몰랐던 지하의 세계가 있었다. 그저 지상에 드러난 '무빙'만 보고 살았을 뿐이었는데 이 끊임없는 순환에는 지하의 세계가 있어야 한다는 것을 사람의 죽음으로 늦되게 자각한다.

'21세의 남성 근로자'라는 짧은 신상 속에서 이 청년의 신산한 삶이 확 다가온다. 살아온 만큼 더 살았어도 내 나이에도 미치지 못한다. 40대 중반의 내가 죽는다 해도 다들 너무 일찍 세상을 떴다며 비통해 할 텐데, 그보다 절반의 나이이다. 세월호 희생 학생들과 또래이기도 하다. 구조하는 데 한 시간이나 걸려 무빙워크에서 꺼냈을 때에는 이미 숨을 놓고 있었다는 말에 차라리 안도했다. 빨리 눈감았기를. 구조될 거란 헛된 희망으로 버티고 있지 않았기를 바랄 뿐. 그리고 '21세'라는 나이가 제발 만 나이였기를. 당신이 그래도 스물두 살이었기를 빌었다.

2011년 이마트 탄현점에서 사망한 스물두 살의 '황승원 군'과 2016년 구의역에서 참사를 당한 '19세의 김 군'을 애도하며 기성세대의 부끄러움을 글로 쓴 적이 있다. 그리고 또 잊고 '남양주지옥분식'을 차려 먹고 살았다. 그런데 '동네일'로 이런 참화를 보고 있자니 내 입방정 때문이었나 싶어 괴롭다. 그래도 여전히 우리는 이 모양 이 꼴이라고 적어 둔다.

무빙워크 자리에 꽃 한 송이 놓으러 쫓아갔지만 추모의 꽃 한 송이 놓을 자리조차 허락받지 못했다. 며칠 내내 꽃 한 송이 놓을 자리를 찾아다녔지만 뜻대로 되지 않았다. 누군가 꽃을 가져다 놓으면 재빨리 치워졌다. 그가 죽어 나간 무빙워크 자리에는 “쇼핑에 불편을 드려 대단히 죄송합니다”라는 안내문과 대형 가림막이 설치되었고, 이내 보수공사를 마쳤다. 아무도 불편하지 않은 쇼핑의 세계가 여전히 펼쳐지고 있다.

김 군의 숟가락

컵라면은 바쁘고 입맛 없을 때 물만 부으면 언제 어디서든 한 끼의 식사로 변신하는 요물이지만 미디어에서는 종종 고단한 삶을 상징하는 장치다. 특히 일자리를 구하지 못한 청년이 편의점에서 컵라면과 삼각김밥을 먹는 장면이 나온다면 대사가 없어도 그 의미를 알 수 있다. 삶의 비극성을 드러낼 때에도 라면이 동원된다. 비근한 사례로, 2020년 가을 인천의 주택 화재 사건을 '라면 형제' 사건으로 명명하는 것이다. 화재 조사 결과, 라면을 끓이다 불이 난 것은 아니라지만 이 사건은 앞으로도 '라면 형제' 사건으로 불릴 것이다.

2016년 5월 28일 구의역 김 군. 이렇게만 말해도 숟가락이 올려 있는 컵라면 사진이 떠오르곤 한다. 열아홉 살 청년 노동자

김 군의 유품에서 나온 컵라면은 그 어떤 말보다 힘이 있었다. 추모객들은 구의역 승강장에 추모의 글귀를 남기고 꽃을 가져다 놓기도 하고 컵라면을 갖다 놓기도 한다. 고인을 추모하려면 좀 더 비싸고 좋은 음식을 갖다 놓을 법도 하건만 왜 컵라면일까. 또 누군가는 천천히 먹으라는 메모와 함께 편의점 샌드위치를 두었다. 지상에서는 늘 급하게 쫓기며 먹는 신세였지만 하늘에서는 비록 편의점 샌드위치더라도 체하지 말고 천천히 먹으란 뜻일 것이다. 컵라면과 편의점 샌드위치를 가져다 놓은 저 추모 의례는 나도 당신의 삶과 다르지 않게 살고 있다는, '나는 너다'의 강력한 사회적 메시지이다.

기름때 묻은 공구와 함께 발견된 구의역 김 군의 숟가락은 인간의 식사란 무엇인지를 되묻는다. 깨끗하게 닦인 수저로, 자리에 앉아 여유 있게 먹는 밥을 인간의 식사라 한다면, 김 군은 안전문 수리를 하면서 제대로 식사를 한 적이 몇 번이나 될까. 당시 정치인들도 달려와 추모의 말을 보태며 정치적 해결을 약속했다. 하지만 2년 뒤 태안화력발전소 김용균 씨의 유품에 또 컵라면이 있었다. 위험을 방치한 자들의 처벌과 재발 방지를 구의역에 와서 약속한 정치인들의 금배지는 여전히 반짝거려도 생명의 빛을 잃은 노동자들은 더 많아졌다.

서울교통공사나 한국발전기술 같은 회사는 필수 기간 시설을 운영하는 공공 부문에 속해 있으니 사기업보다야 노동환경이나 처우가 좀더 낫지 않을까 하는 기대를 했다. 하지만 실상은 하청의 굴레 속에서 '갑' 회사에 옴짝달싹할 수 없는 '을'일 뿐이었다. 그렇게 '을' 회사에 소속되어 을 중의 을로 일하다 죽었건만, 고작 하청 회사의 말단 관리자만 약간의 죗값을 치렀을 뿐이다.

일터에서 일 년에 2,020명이 죽는다(2019년 산업재해 발생 현황, 고용노동부). 다치는 사람은 그보다 더 많다. 누군가가 죽어 간 자리를 구의역 김 군과 김용균 씨가 메웠고, 이들이 떠난 자리는 새로운 죽음들로 속속 채워진다. OECD 국가 산재 사망률 1위 자리를 놓치지 않고 있는 한국이야말로 'K-산재국'이다. 산업재해로 자식을 먼저 보낸 김용균 씨의 어머니 김미숙 씨와 방송 제작 노동의 고통을 죽음으로 알린 tvN 이한빛 피디의 아버지 이용관 씨가 2020년 12월 11일부터 '중대재해기업처벌법' 제정을 요구하며 단식을 했다. 이 법이 제정되어도 자식이 살아 돌아오지 않겠지만 부모의 생을 걸고 싸웠다.

'중대재해기업처벌법'은 노동 현장의 안전을 철저히 지키게끔 처벌 규정을 강화하자는 것이었다. 하청을 준 중소기업 뒤에 숨어 모르쇠로 일관하는 원청의 대기업들과 공공기업도 재해에 책임이 있다는 것을 법에 적어 두려던 것이다. 없는 법은 안 지켜도, 있는 법은 지키려고 할 테니 말이다. 지난 1월 중대재해기업처벌법이 겨우 국회를 통과했고 2022년 1월 시행을 앞두고 있다. 하지만 원안에서 후퇴하여 결국 50인 미만 사업장에는 법 적용을 3년간 유예하는 데다, 5인 미만 사업장은 아예 이 법에 해당하지 않는다. 5인 미만의 영세한 사업장일수록 노동조건이 열악해 다치고 죽는 일이 더 많건만, 이 중대 사안이 빠져 버렸다. 이 법이 제정되면 기업들이 망한다는 반발 때문이었다. 하나 이는 그간 사람 잡아 가며 기업을 운영했다는 자백과 다름 아니다.

유난히 추웠던 지난겨울, 노동 현장에서 자식을 잃은 부모들이 굶어 가며 싸운 결과가 이렇다. 그날 구의역으로 달려와 다시는 김 군과 같은 죽음이 없어야 한다며 말을 보태던 정치인들의 약속이 너무 가볍다.

꼭대기와 바닥,
두 죽음 앞에서

2017년 7월 24일 KH컴퍼니 강훈 씨가 유명을 달리했다. 망고식스 대표로 알려진 그의 죽음에 이제야 애도를 표한다. 그동안 대형 프랜차이즈 외식업계 경영자들을 힐난하곤 했는데 내가 황망할 지경이었다. 하여 나도 침묵으로 애도 기간을 지켜야 했다. 강훈 대표의 죽음은 '갑'의 죽음이었다는 점에서 더욱 충격이 크다.

한때는 '커피왕', '커피 업계의 미다스의 손'으로 불리던 그의 성공 신화는 카페를 열려는 사람들에게는 교과서였다. 그의 소위 리즈 시절은 1998년 IMF의 폐허 위에 '할리스'라는 커피점을 열어 성공시키면서부터이다. 바로 이어 '카페베네'의 전문 경영인으로 명성을 쌓았고, '망고식스'라는 디저트카페 브랜드를

2011년 론칭하면서 정점을 찍었다. 대형 연예기획사와 손을 잡아 연예인을 투자자로 끌어들였다. 드라마 주인공들은 망고식스에서 사랑을 고백하고 이별하고 재회했다. 주조연급 출연자는 망고식스의 사장으로 나오기까지 했다.

대형 프랜차이즈들은 기반을 다진 뒤에 사업을 확장하는 방식이 아니라, 처음부터 투자자를 끌어들이고 목표 가맹점 수를 정해 놓은 뒤 공격적으로 가맹 영업을 한다. 해외 진출도 사업 기반을 다지고 난 다음이 아니라 초기부터 추진한다. 그래야지만 '커피왕'에게 '현금왕'들이 붙어 주기 때문이다. 한국의 내로라하는 프랜차이즈들은 내실을 다지기보다는 투자라는 이름의 빚으로 처음부터 무조건 크게 확장하는 경영 방법을 택해 왔고, 결국 청산되지 않은 이 빚이 유능한 사업가를 죽음으로 몰아넣었다. 처음엔 참신한 메뉴로 여겨지지만 카피 제품은 금방 쏟아져 나온다. 재투자를 받기 위해 서브 브랜드를 만들어도 보지만 이미 포화 상태인 시장에서 본사도 경영자도 질식 상태에 빠져 버리고 만다.

그런데 여기 또 한 죽음이 있다. '을'의 죽음이다. 한때 미스터피자의 가맹점주였던 고故 이종윤 씨는 본사의 갑질의 실체를 증언해 온 사람이었다. 그리고 비슷한 처지의 점주들과 '피자연합'이라는 협동조합형 프랜차이즈를 설립한 장본인이다. 갑도 없고 을도 없는 '피자 대동 세상'을 꿈꾸면서 말이다. 미스터피자를 운영하면서 빚을 많이 지기는 했지만, 그간 쌓은 피자 만들기 노하우와 견실성을 밑천 삼아 의욕적으로 추진한 '소셜 프랜차이즈'가 바로 피자연합이었다.

대안 프랜차이즈로 이름도 서서히 알리고 있던 차에 다시 등장한 복병은 미스터피자였다. 정우현 회장의 엽기적 갑질은 널리 알려져 있어 지면을 낭비하기는 싫다. 다만 미스터피자를 떠난 자유인 이종윤 씨를 끝까지 쫓아 철저하게 응징을 한 정우현 회장의 근성만은 높게 사 줘야 할 것 같다. 이는 현대판 추노推奴질이었다. 정우현 회장은 가맹점을 '가족점'이라 불러 왔고 그에겐 통치권이란 것이 있었다. 임직원들의 고견을 받아들이지 않고 자의적으로 판단하여 발동하는 무소불위의 권력을 그리 불렀다. 일례로 미스터피자의 계열사인 '마노핀'의 커피 값을 900원으로 내려 버리라는 긴급조치 같은 것 말이다. 그 통치권에는 자신의 영지를 벗어나 탈출한 노비를 찾아오라는 명령도 있었다. 가족점이란 말은 무색했다. 노비는 가족이 아니라 소유물이므로. 그는 가부장도 아닌 봉건영주였을 뿐이다.

가맹점주 쥐어짜는 기술 말고는 이렇다 할 경영 능력이 없었던 미스터피자의 오너 일가는 자신들의 주식 보유분을 여기저기 팔았다. 대체로 사모펀드라 불리는 외국계 금융자본들이었다. 그렇게 근근이 버티다 2020년 말에 프랜차이즈 치킨 회사인 페리카나에 팔렸다. 현재 치킨 프랜차이즈 중 소위 메이저가 아닌 페리카나가 한때 고급 외식 업종이었던 한국의 대표적 피자업체를 인수한 것도 시대의 변천을 보여 준다. 어차피 이리 될 것을 왜 그리 사람들에게 가혹하게 굴었는지 묻고 싶지만, 결국 그 악랄함 때문에라도 미스터피자가 외치던 '가족'들은 견디지 못하고 먼저 가게를 내놓았을 것이다.

2017년 몇 달 사이에 프랜차이즈라는 사다리의 꼭대기와 바닥의 죽음을 동시에 봐야 했다. 무엇이 잘못된 것일까? 누구나 꿈꾸었던 사다리 꼭대기인데, 불행히도 사다리의 각도가 너무 직각이었던 것이다. 투자의 세계에서 말하는 '하이 리스크 하이 리턴'을 외치다 사다리는 부러지고 말았다. 그 사다리는 커피, 망고 주스, 피자라는 단단한 벽체 위에 사다리를 걸쳐 놓은 것이 아니라 물량 공세, 공격적 가맹점 모집과 쥐어짜기, 결정적으로 '먹튀 자본'이라는 암막 커튼에 기댄 연극 무대의 소품에 불과했을 뿐이다.

두 죽음에 깊은 애도를 보낸다. 당신들은 스스로 죽은 것이 아니다. 이는 사회적 죽음이다.

3부

심고 거두는 일

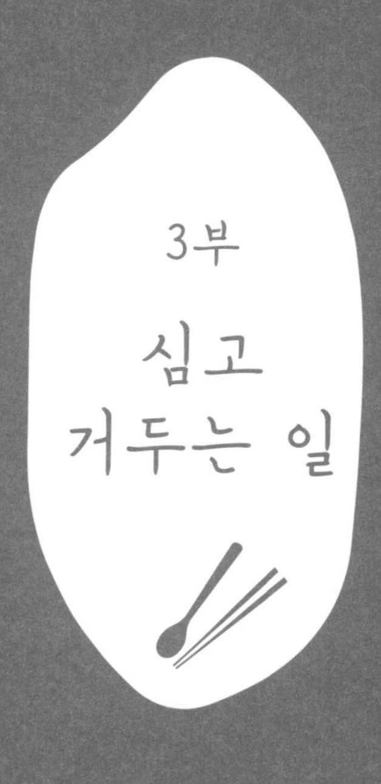

•
•
•

젊은이들은 대처로 나갔으나 고향 마을을 지키는 농촌의 삶은 엄존한다. 하지만 세상은 '소멸 위험' 운운하며 농촌이 사라질 것이라 여긴다. 사라지는 것들에 지원을 하는 것이 얼마나 가성비 없는 일인지를 면전에서 가차 없이 말한다. 하지만 농촌이 사라진다면 푸른 나물과 붉은 과일을 보며 오고 가는 계절을 느낄 수 있을까.

먹거리 생산지로서의 농촌만 귀한 것이 아니다. 농촌에 사는 사람들이 귀하다. 농촌이 사라진다면 농민들뿐만 아니라 시골 버스 운전기사와 작은 점방을 지키는 주인 내외, 어린이와 노인, 농업 이주노동자들, 행정 관료들 모두 어디로 가야 할까. 결국 또 도시로 향해야만 한다. 도시의 숨막히는 고통은 농촌의 고통에서 출발하였고, 그렇다면 이제 농촌을 돌보고 아픈 도시를 다독일 때가 아닐는지. 힘없고 사라지는 것들에 예를 다하는 세상이라면 살아 있는 것들에 정성을 쏟는 일도 마다하지 않을 것이다. 그렇게 해야만 세상이 좀 더 순해질 것이라, 여전히 순진하게 믿는다.

노인이 되어 자연스럽게 죽음과 맞닥뜨리는 죽음을 호상이라고들 하지만 근래 농촌에서의 죽음 중 호상인 죽음은 드물었다. 평생의 노동으로 몸은 끝까지 아팠으며 자손들의 돌봄을 받지 못하는 경우가 더 많았다. 듣자면 한없이 서글픈 이런 죽음의 기록도 적어 두기로 한다. 성실하고 선량했던 이웃들이 우리 곁에 머물다 떠났다는 것을 말이다. 우리 또한 그렇게 떠날 것이므로.

꽃상여 진 자리

예식장과 산부인과가 사라진 곳

농촌 지역의 흥망성쇠가 있다면 지금은 명백한 '쇠'의 시절이다. 올해 본 풍경을 내년에 그대로 볼 수 있으리란 보장도 없다. 작년에 분명 과수원이었던 밭은 공장 터가 되기도 하고 시설하우스가 들어서기도 한다. 하여 마음이 급해 스마트폰으로 사진을 찍어 두고 간단한 인상기라도 남겨 두려 한다. 같은 장소에 시간 차를 두고 방문할 경우도 있다. 그럼 그 이전보다 훨씬 더 쇠잔해 있다. 그러니 오늘 내가 방문한 고장의 풍경은 가장 흥한 날의 풍경이기도 하다.

경기도 화성시의 어느 면 친환경 쌀 작목반 강의에 다녀왔다. 우렁이 농법으로 벼농사를 지어 주로 학교급식에 쌀을 내는 작목반이다. 시·군·구, 읍·면·동·리 단위로 보자면 면 단위에 해당하는 강의였다. 강의 장소는 농협이었다. 면에서 가장 큰 건물이자 강의가 가능한 시설을 갖춘 곳은 농협이거나 면사무소이다.

이날 강의 장소는 친언니가 20여 년 전 결혼식을 올린 예식장이기도 하다. 농민의 딸인 언니가 농민의 며느리가 되던 날이다. 농촌의 기초 경제단위인 작목반은 농협을 중심으로 움직인다. 말도 많고 탈도 많지만 농촌의 경제 중심은 농협이다. 농협 조합원으로 누릴 수 있는 가장 큰 혜택은 자녀들의 결혼식을 농협 예식장에서 올리는 것이고 부모나 본인 장례를 농협 장례식장에서 치르는 것이다. 오래도록 젖소를 길렀던 사돈 어르신은 우리나라 품목조합에서는 가장 큰 '서울우유' 조합원이었다.

그날의 언니 결혼식은, 나도 잊은 지 한참이던 농촌의 경사를 치르는 느낌이었다. 뷔페가 아니라 오랜만에 국수잔치였기 때문이다. 사돈댁은 대형 식당을 잡아 국수를 말아 내고 제철 해산물을 공수했다. 지진 지 얼마 되지 않은 각종 전과 잡채 등, 온기 있는 음식이 올라왔다. 첫 혼사에 신이 난 사돈댁에서 솜씨 좋은 아주머니들을 웃돈을 주고 고용해 잔치 음식을 내놓았는데, 아직도 친인척들 사이에서는 그날 언니의 결혼식 음식이 참 맛있었노라 회상하고 있다. 그 당시에도 이미 농촌의 애경사 풍경이 많이 바뀌어서, 뷔페를 불러 정신없이 먹고 헤어지는 결혼식이 대부분이었기 때문이다.

그런데 색동 무늬 카펫을 밟고 언니가 신부 입장을 하던 이 곳은 진즉에 예식장 사업은 접었다 한다. 이제 농촌에서 결혼식을 올리는 일이 거의 없기 때문이다. 결혼식이 있다면 시내의 '컨벤션 센터'와 같은 입에 붙지도 않는 이름의 대형 예식장에 가서 올리곤 한다. 하긴 사회 전체로 보자면 예식장 사업이 휘청댈 정도로 혼인 건수가 급격하게 줄어드는 추세다. 농촌이 먼저 겪고 있을 뿐이다. 종종 강의 장소에는 어울리지 않는 모조 크리스탈 샹들리에 불빛 밑에서 강의를 하는 일이 있는데, 그런 곳은 모두 예식장이었던 곳이다. 예식장과 산부인과, 소아과 병원이 사라진 곳. 새로운 시작의 상징이 모두 사라진 자리가 지금의 농촌이다.

할머니들의 꽃상여

어느 마을 회의에서 더 이상 마을의 장례식에서 꽃상여를 쓸 수 없다는 결정이 났다. 올해부터 돌아가시는 노인들은 인근의 장례식장으로 모시겠다는 결정이었다. 그날 마을회관에서 할머니들이 부둥켜안고 울었다. 마을에 꽃상여 맬 상두꾼은 진즉에 사라졌고, 자손들 모두 뿔뿔이 흩어져 도시로 나간 지 오래다. 고향 산천을 지키는 나무들은 '못난 나무'가 아니라 '늙은 나무'들이었다. 그래도 꽃상여 한번 올라타고 마지막 생을 정리하는 그 꿈마저도 무너진 자리. 나뭇등걸처럼 거친 손들이 서로 부둥켜안고 울었다는 이야기를 듣고 나도 눈물이 났다.

고향을 지켰던 큰아버지는 마을의 상일꾼이었다. 상례가 벌어지면 큰아버지는 더욱 바빠졌다. 대처로 나간 자손들은 우왕좌왕하기 마련이고, 결국 고향을 지키던 큰아버지에게 하나하나 물어 가며 장례를 치르곤 했다. 농촌에서 먹고살기 힘들어 도시로 나간 자손들의 형편도 빤해 겨우 종산에 묏자리 하나 잡아두었을 뿐, 동리 사람들이 두부 두 판, 계란 열 판, 콜라 다섯 박스, 이런 물목을 추렴해서 치러 내는 가난한 장례도 많았다. 그럼 큰아버지는 염장이 역할도 하셔야 했다. 고인이 품을 팔아 겨우 마련해 놓은 수의를 입힐 손조차 없었기 때문이다. 그래서 큰어머니 말씀으로는 자기(큰아버지) 머리가 희어지기도 전에 동네 시신을 만졌다며 질색을 하시곤 했다. 큰아버지가 염을 하고 온 날은 사촌 언니들은 큰아버지 옆에 가려 하지 않았다. 지금은 부모상에 자매상도 치러 본 처지여서 그 일이 얼마나 고맙고 거룩한 일인지를 잘 알지만, 어릴 때는 그저 시체를 만지고 온 큰아버지의 손이 나도 무서웠다.

그런데 정작 큰아버지가 돌아가셨을 때는 읍내의 농협 장례식장으로 모셨다. 상조회가 오고 매뉴얼대로 장례가 치러졌다. 고향 사람들의 장례를 진두지휘하던 큰아버지의 장례식에 정작 그 자손과 마을 사람들은 이리하라면 이리하고, 저리하라면 저리하는 객식구가 되었다.

'소년 농부'에게서 희망을 찾을 수 있을까

2018년 12월 27일에 문재인 정부 출범 이후 처음으로 문재인 대통령과 농업계의 간담회가 열렸다. 농민과 농업 관계자, 국회 농해수위(농림축산식품해양수산위원회) 소속 여당의원 등 150여 명이 이 자리에 참석했다. 이렇게 성사된 만남에서 현실적인 농정에 대한 진단이나 제언이 쏟아지기보다는 덕담 수준의 이야기들이 오고 갔을 뿐, 알맹이가 없었다며 혹평이 이어지기도 했다. 이런저런 이야기야 각자의 입장에서 오고 갈 수는 있지만, 이날 농업인 간담회에서 가장 크게 주목 받은 것은 엉뚱하게도 '태웅미米'였다.

한 예능 프로그램에 출연한 한태웅 군은 '소년 농부'로 얼굴을 알렸다. 출연 당시 태웅 군은 중학교 3학년이었고, 경기도 안성시 양성면에서 조부모까지 삼대가 함께 사는 보기 드문 농촌 가족이다. '대농大農'이 꿈인 태웅 군은 여기저기 화제가 되었다. 한태웅 군은 청와대 농업인 간담회에 초청을 받아, 직접 생산한 햅쌀 '태웅미'를 대통령에게 전달하고 간담회장에서 트로트를 구성지게 부르며 스포트라이트를 받았다. 기삿거리로도 괜찮았는지 많은 언론들이 태웅미와 소년 농부에 대해 보도를 했다.

이에 문재인 대통령은 "한태웅 군 같은 청년이 우리 농업의 미래"라며 "앞으로 청년 창농 종합지원체계를 구축하는 등 청년농의 성장 지원을 강화하겠다"고 말했다. 한태웅 군의 퍼포먼스는 현 정부의 농정 방향이 고스란히 드러난 것으로 보인다. 이전 정부들 모두 '돌아오는 농촌'을 만들겠다며 귀농·귀촌 장려에 이어 '청년 농업 육성'을 농정 기조로 삼아 왔다. 한 소년이 농민이 되겠다는 꿈에는 박수와 응원을 하고 싶지만, 이 특이한 사례에 과연 농촌의 희망을 걸 수 있을까?

여기저기 청년 농업인 육성정책이 쏟아지고 있다. '청년 농민'이나 '청년 농부'라는 말보다는 '청년창업농'(청년창업형 후계농)으로 명명하며 일종의 농촌형 청년창업을 촉진하는 양상이다. 만 18세 이상, 40세 미만의 출생자들 중에서 농업에 뜻을 둔 사람에게 정착지원금으로 독립 경영 1년차에 월 100만 원, 2년차에 월 90만 원, 3년차에 월 80만 원을 바우처 카드로 제공하는 사업이다. 그러다 정착지원금을 받은 일부 청년창업농들이 외제 차를 수리하고 백화점에서 명품 백을 샀다며 부정 수급 논란이 일면서 여론도 많이 싸늘해졌다.

하지만 청년 농민들은 외제 차도 타지 말아야 하고 명품 백도 사면 안 된다는 발상은 또 얼마나 폭력적인가. 농민들은 모두 순박하게 몸뻬나 입고 트럭이나 타고 다녀야 한다는 뜻인가. 이 또한 도시인들 머릿속에 박힌 '상상된 농촌'일 뿐이다. 어쩌면 한태웅 군의 순박한 말투와 트로트를 구성지게 부르는 '농촌성'에 열광하는 것이야말로 도시민들의 전형적인 농촌 이미지 소비일 뿐이다. 이미 지상에 존재하지 않는 환상 속의 농촌을 그렸던 드라마 〈전원일기〉에서 없던 농촌을 만들어 냈던 것처럼.

농촌의 고령화, 여성화

내가 태어난 1970년대 말부터 언론에서는 '농촌 일손 부족'이라는 제하로 '농촌 고령화' 문제의 심각성을 제기하고 있다. 1992년 4월 16일 『동아일보』 기사에는 농촌 인구의 고령화 문제를 이렇게 다루고 있다. "50세 이상 인구가 70퍼센트"를 차지한다며 국가적 대책을 세워야 한다고 말이다. 27년 전 50세였다면 현재 80대를 목전에 두고 있다. 언론 기사뿐만 아니라 각종 농업 관련 문건에서도 농촌 고령화 문제는 쉼 없이 다뤄진다. 적어도 문제의식만은 끊긴 적이 없단 뜻이다. 하지만 이렇다 할 대책을 세우지 못했다. 외진 곳에 자리 잡은 과소화 마을의 경우 해마다 주민의 수는 급격히 줄어든다. 시쳇말로 삼복더위와 동장군의 계절에 초상이 이어지고 빈집으로 해마다 담장도 허물어지는 자리가 지금의 한국 농촌이다.

특히 농촌의 고령화는 곧 '여성화'의 경향을 띤다는 것은 인구학에서도 상식이다. 단순히 여성들의 평균수명이 남성들보다 높기 때문이 아니라, 사회 경제적 연원에 기인한다. 농업 생산만으로는 생계가 어렵기 때문에 남성 인구가 더 많이 도시로 빠져나갔기 때문이다. 사회현상 중에서 대체로 여성화 현상이 갖는 함의는 빈곤과 차별의 문제에 닿아 있고, 농촌 고령화와 농촌 여성화 문제도 다르지 않다.

청년 취업률 높이기가 국시로 자리를 잡은 이때에 정부의 농정 대상이 청년에게 쏠려 있는 것도 이해 못 할 바 아니다. 다만 청년 농민들이 딛고 서야 할 땅의 현실이 이토록 차갑다. 노인들이 모두 떠나가고 빈집들은 흉가로 방치된다. 이런 마을에 청년들을 밀어 넣어야 되겠는가. 이들의 정착을 지원하는 일은 마을에서 뿌리를 내리도록 돕는 일이기도 해야 한다. 농업기술에 대한 훈련도 중요하지만 마을의 당당한 일원으로 육성하는 일도 시급하다. 하지만 가시적 성과를 얻기 위해, 농업에 진출한 청년 농업인의 머릿수 늘리기에 급급해 보인다. 이렇게 숫자만 늘린다고 한국 농업·농촌에 희망이 생길까?

'존엄한 소멸'을 보장하는 농촌이라면

농촌에서는 아기가 태어나면 군수와 면장이 직접 선물 보따리를 싸 들고 방문할 만큼 출산은 고장의 큰 경사이다. 종종 파격적인 출산 장려 공약도 지방 선거에 내걸리곤 한다. 그런데 왜 '장례 지원금'에 대한 공약을 찾아보기는 어려울까? 오래도록 지역을 지킨 농민들의 마지막이야말로 융숭하게 대접해야 할 일이 아닐까? 더이상 꽃상여를 탈 수 없어서 할머니들이 서로 부둥켜안고 울게 하지 말고, 이제 꽃상여 운영은 군이나 면에서 하겠다고 나서 주면 안 될까?

평생을 땅에 붙어 농사를 지어 국민들을 먹여 살리고 지역을 지킨 거칠고 귀한 손들에 대한 존경과 감사를 공공으로 표명해야만 청년 농민도 자신의 존엄을 그 자리에서 확인할 수 있을 것이다. 청년 농민들도 언젠가는 고령 농민이 될 것이다. 지금의 고령 농민들을 대하는 사회적 태도가 곧 이들을 대하는 태도의 준거이다.

'소년 농부' 한태웅 군이 이 땅에서 청년 농민으로 그리고 고령 농민으로 잘 살아갈 수 있기를 진심으로 바란다. 그런 삶을 살 수 있도록 돕는 것은 청와대에 불러 칭찬을 하는 것이 아니라, 지금 태웅 군이 살아가는 현장의 고령 농민들을 예우하는 일이다. 존엄한 소멸의 현장을 태웅 군에게 보여 주는 것만큼 좋은 영농 교육은 없다.

존엄을 지키는 목욕탕

몰아친 한파에 아파트니까 괜찮지 않을까 방심을 한 것이 패착이었다. 온수가 나오지 않았다. 아이들은 방학이고, '사람 만나지 말라'가 국시國是가 된 마당에 며칠 씻지 않는다고 큰 불편이 있겠나 싶었다. 그런데 양치를 해도 이가 시리고 고무장갑을 끼었는데도 손가락이 시려워 부러질 것 같았다. 도시의 아파트에서 겨울에도 온수 쓰는 일을 당연하다 여기고 살다가 이번 한파에 된통 당했다.

연탄 보일러를 때던 시절에는 겨울에 씻는 일이 늘 고역이었다. 엄마가 아침마다 뜨거운 물 한 바가지를 세숫대야에 부어주면 고양이 세수를 했고 머리는 일주일에 한 번 감을까 말까였다. 머릿니를 잡기 위해 참빗으로 두피가 벗겨지도록 빗기도 했다. 그러다 연탄불을 갈지 않아도 되는 기름 보일러 시대로 접어들었지만, 기름 값이 무서워 겨울에는 온 식구를 한 방에 몰아서 지냈다. 온수는 아침에 잠깐 틀어 식구들 한꺼번에 씻고 나면 엄마는 매정하게 바로 보일러를 끄곤 했다.

이제 내겐 '그때를 아십니까' 정도의 추억담이지만, 여전히 연탄과 기름 보일러를 때서 사는 사람들이 있다. 도시가스가 공급되지 않는 농촌이 그렇고, 도시의 빈민가에서는 전기장판 한 장에 의지하여 겨울을 난다.

코로나19로 방역 단계가 올라가도 대중목욕탕 영업을 중지할 수 없는 이유가 여전히 온수가 나오지 않는 주거 시설이 있기 때문이다. 여기에 야외에서 먼지를 뒤집어쓰고 일을 하는 사람들이나 취약계층 중에는 목욕탕 말고는 씻을 곳이 없는 이들이 있다는 설명을 듣고, 이렇게 전염병이 창궐하는 와중에 도대체 '사우나'에 왜 들락거리냐 힐난했던 입도 쏙 들어가고 말았다.

식당 영업에 대한 논란도 많다. 그냥 한꺼번에 닫아 버리고 코로나바이러스를 박멸해 버리자는 것이다. 하지만 식당에서 모든 끼니를 해결해야 하는 이들이 있다. 외식산업연구원의 조사에서 보면, 방문 외식의 유형은 끼니를 위한 한식이 1위를 차지한다. 제일 많이 먹는 메뉴는 김치찌개와 된장찌개다. 주방 시설을 갖추고 있지 못하거나 조리 도구와 식재료를 제대로 갖출 수 없어 직접 식사를 마련할 여건이 안 되는 이들도 많다. 길 위에서 일을 하는 사람들은 포장 배달을 받은 음식을 먹을 장소가 없다. 고령의 독거 노인들은 귀가 어두워 음식 배달에 두려움을 갖는다. 젊은 사람들처럼 배달 애플리케이션을 자유자재로 쓰기는 불가능하다. 그래서 누군가에게 식당 밥은 생존이다. 대중목욕탕도 식당도 누군가에겐 꼭 필요한 시설이다.

농촌은 여전히 기름 보일러 시대다. 기름을 때서 목욕을 하는 일은 매우 어려운 일이다. 겨울이면 몇 드럼씩 들어가는 기름값도 무섭지만, 노후 주택들은 단열이 제대로 되어 있지 않아 고령의 농촌 주민들이 겨울에 씻는 것 자체가 어려운 일이다. 인구도 줄어서 영업이 안 되다 보니 읍·면 단위에 있었던 대중목욕탕들은 사라졌고, 시군 단위까지는 나가야 목욕탕이 있다. 그래서 요 몇 년 농촌의 '작은 목욕탕 사업'이 인기였다. 국비와 지자체가 재정을 부담해 작은 규모의 공중목욕탕을 짓고 주민들은 저렴한 비용으로 이용하는 복지 사업이다. 워낙 호응이 좋아, 작은 목욕탕 사업은 농어촌 지자체장들이 공약으로 내세우기도 했다. 참고로 작은 목욕탕은 남탕과 여탕이 따로 없다. 요일별로 어느 날은 남자만, 어느 날은 여자만 이용하고, 젊은이들은 동네 어르신을 만나면 등을 밀어 드리느라 조금 힘들다는 푸념도 있긴 하다.

농촌경제연구원의 보고서에 보면, 농촌 주민들이 꼽은 만족도 높은 공용시설이 마을목욕탕과 마을회관이다. 농촌의 마을회관은 겨울에는 따뜻하고 여름엔 시원한 데다 공동 식사를 하고 여가를 보낼 수 있어 농촌에서 가장 중요한 기간 시설이다. 어떤 마을은 겨울에 노인들이 마을회관에 모여 함께 공동생활을 하기도 한다. 긴 겨울 노인들이 전기장판에 의지해 춥게 지내다 병을 얻고, 큰 눈이 내려 고립되면 안전사고가 날 수도 있기 때문이다.

농촌에서 이토록 귀한 작은 목욕탕과 마을회관이 코로나19로 멈춘 지 일 년이 넘어가고 있다. 따뜻한 식사와 난방, 그리고 목욕. 이는 인간의 존엄을 지키는 가장 기본적인 요소다. 이를 인권 혹은 기본권이라 부른다. 이 기본이 멈췄다면 이보다 더 시급한 일이 어디 있겠는가. 방역으로 정신이 없어도 꼭 살펴봐야 할 일이다.

농촌 우체국의 빨간 경고

첫 책을 낸 출판사는 '망원 우체국' 정류장 인근이다. 망원 우체국에서 책을 보내며 가까운 이들에게 우정을 표시했다. 그날 번호대기표를 뽑고 차례를 기다리며 얼마나 설렜던지. 망원 우체국은 그토록 내게 좋은 추억의 장소이건만 경영효율화 정책에 따라 2020년 4월 적자를 이유로 문을 닫았다. 대신 그 자리엔 프랜차이즈 치킨점이 들어섰다. 관공서로만 알고 있던 우체국에 적자와 흑자라는 개념이 있다는 것도 처음 알았다. 우정사업본부는 국가 예산을 지칭하는 일반회계가 아닌, 자체 수입으로 지출하는 특별회계에 편성되어 있어 사업을 잘해서 수익을 내야 하는 조직이었던 것이다.

우표를 붙인 손편지를 부칠 일도 거의 없고, 각종 고지서도 전자문서로 받는 시대이다. 소포는 사기업 택배 회사를 이용하는 경우가 더 많다. 사업체로서의 우체국은 현실적으로 경쟁력이 없다. 하지만 시민들이 알고 있는 우체국은 편지와 소포만 보내는 곳이 아니라 저축도 하고 공과금도 낼 수 있는 금융기관이기도 하다. '우체국보험'을 취급하는 창구이자, 심지어 알뜰폰 가입 업무도 수행한다. 분쟁이 생겼을 때 법적 증거로 남겨 두는 '내용증명' 업무도 우체국에서 한다. 게다가 이번 코로나19 사태 때는 공적마스크 판매와 재난지원금 지급 창구 역할도 했다. 그래서 우체국은 시민의 심복이자 관공서로 알고 있었다.

농촌에서 우체국은 더없이 귀한 관공서이다. 초고속 인터넷 시대와는 별개로 느릿느릿 흘러가는 농촌에서 집배원은 행정의 많은 부분을 담당한다. 공과금을 내러 면이나 읍소재지까지 나갈 수 없을 때 대신 공과금을 내주기도 하고, 심지어 생필품을 대신 사다 주는 심부름도 마다하지 않는 이들이 시골 집배원들이다. 무엇보다 농촌 택배, 즉 소량의 신선 농산물을 택배로 보낼 때는 우체국만 받아 준다. 규격에도 맞지 않고 물량이 많지 않으면 사설 택배업체에서는 받아 주지 않기 때문에 농촌에서 우체국은 꼭 있어야 한다.

하지만 농어촌 지역의 우체국 대부분은 망원 우체국보다 더 취약한 위탁 우체국인 '별정우체국'이다. 우체국은 직영 우체국과 민간에 운영을 맡긴 위탁 우체국으로 나뉜다. 별정우체국의 경우 전국에 725개소이고 그중 95퍼센트가 읍·면 지역에 있다. 농어촌 우체국은 대체로 별정우체국이 더 많다고 보면 맞다. 별정우체국은 청사와 시설은 민간에서 부담하고 체신 업무를 국가로부터 위임 받아 수행하며 정부는 인건비와 운영비를 지원하는 형태다. 별정우체국의 업무도 직영 우체국과 같아 시민들은 같은 우체국으로만 알고 있다.

별정우체국은 국가 예산이 부족해 벽지까지 우편 서비스가 닿지 않던 때, 1961년 정부가 궁여지책으로 만든 제도다. 완전한 관의 영역도, 그렇다고 민의 영역도 아닌 애매한 위치다. 국장 지위 승계가 가능해 우체국장 아들이 다시 그 우체국의 국장으로 살아가기도 한다. 승계 제도가 현대판 음서제 아니냐며 별정우체국 폐국의 명분으로 삼기도 한다. 몇몇 별정우체국장들이 자신들의 사익을 좇기만 하고 별정우체국에서 근무하는 집배원들의 근무 여건이 직영 우체국 집배원에 비해 매우 열악해, 별정우체국 집배원들은 우정사업본부의 직고용을 바라고 있다.

하나 분명한 것은, 별정우체국은 국가의 필요에 따라 만들어졌고 이제 와서 우체국장 승계 문제 때문에 없애겠다고 하는 것은 핑계가 되지 못한다는 것이다. 부정이 있다면 단죄하고 법을 지키도록 관리를 해야 한다. 동일노동 동일임금의 원칙에 따라서 별정우체국 노동자의 권리를 보장해야 하는 일은 별정우체국을 없애는 문제와는 별도로 다뤄야 한다.

적자로 인해 고민이 많은 우정사업본부의 경영합리화 조치로 제일 먼저 손을 대려는 곳도 결국 별정우체국이다. 별정우체국을 직영 우체국으로 전환한다는 것도 아니다. 경영합리화 조치에서는 효율화를 명분으로 인력을 감축하는 카드를 먼저 꺼내 들었다. 농촌의 별정우체국을 2인 체제로 바꾸라는 것이 핵심 내용인데 이는 결국 폐국을 하란 뜻이다. 이미 농촌의 별정우체국에는 두 사람만 근무하는 곳이 많아 몸이 아파도 병가를 내기조차 어렵다. 농촌은 담당 권역이 넓어서 업무 강도가 상상을 넘어서고 많은 농촌 집배원들이 다치고 과로와 교통사고로 목숨을 잃는다.

오히려 사람이 더 필요한 곳이 농촌 우체국이다. 농촌에는 오래전에 산부인과와 소아과가 사라졌고 유치원과 학교가 사라지고 있다. 이제는 우체국 차례인가. '돌아오는 농촌'을 만들겠다면서 도대체 어디를 믿고 돌아오라는 것인지 당최 모르겠다. 모든 것이 사라지기 전에 지킬 것은 지키라는 우체통의 빨간 경고에 눈을 감지 말자.

원천상회와
쌍봉댁을 위하여

구멍가게 열풍이다. 화천군 하남면 원천리에 있는 동네 슈퍼 '원천상회'에서 유명 배우인 조인성과 차태현이 열흘 동안 가게를 운영하며 겪는 좌충우돌기 예능이 최고 시청률을 기록하면서 덩달아 화천군에는 많은 관광객들이 몰려오고 있다. 대면으로 하는 산천어축제가 취소되고 여러 어려움을 겪던 차에 예능프로그램 하나가 일으킨 나비효과이다. 지나는 길에 들렀더니 상회 앞이 장사진이다. 가게 주인은 라면을 끓이느라 정신이 없고 인기가 높았던 '대게 라면'은 품절이다. 점심때도 아니건만 사람들은 라면을 먹으러 줄을 서 있고 기념사진 촬영에 여념이 없었다. 마을 주민들을 위해 주인이 내주던 무료 자판기는 쉴 새 없이 종이컵을 토해 내고 있었다. 검은 개 '둥이'는 어디 갔는지 보이지 않았다.

초등학생 때 〈전원일기〉를 보며 의아했던 것 중 하나가 '쌍봉댁'의 슈퍼였다. 농촌에 저런 가게는 면 소재지이거나 두세 개 정도의 행정리가 마주치는 삼거리에 있고, 학교 앞에서 문구점과 버스 정류소를 겸하지 않는다면 수지를 맞추기 어려운데 어떻게 저렇게 꾸려 가나 싶었다. 쌍봉댁 가게에서 두부와 콩나물을 사는 아낙들을 보면, 저 집에는 찌개에 두부가 들어가겠구나, 여겼다. 농촌에서는 두부가 귀했다. 먼 장에서 사들고 오다 깨지기 일쑤고 여름엔 쉬어 버려 까다로운 식품이었다.

1960~1970년대에는 농촌 부녀회 주도로 '구판장'을 통해 식료품과 생필품을 공동구매, 공동판매를 하기도 했다. 관제 동원의 측면도 있지만 상점이 없는 마을의 생활 불편을 해소하기 위해서였다. 구판장 활동은 농촌 여성들의 자치와 협동, 경제적 자립의 구심점이 된 활동이었지만, 농촌에 사람이 줄고 구판장도 쇠락의 길을 걸었다. 그나마 유통기한이 긴 소주나 건국수와 깡통 음료수라도 팔던 '점방'마저도 간판으로만 남고 대다수 사라졌다.

원천상회가 버틸 수 있었던 것은 주인의 성실함, 그리고 동네에 사람이 있기 때문이다. 면사무소가 있어 주민들이 오고 가고, 우체국과 보건소, 재학생 30여 명 정도의 원천초등학교와 파출소, 제법 규모를 갖춘 의용소방대도 있다. 무엇보다 농공단지

입구에 자리하고 있어 적으나마 유동 인구가 받쳐 준다. 농촌 구멍가게의 역사적 의미와 공동체적 기능을 연구해 온 국민대 심우장 교수의 「구멍가게의 역사와 기능」이란 논문에서 보면, 농촌의 구멍가게는 정보를 공유하고 영농 정보도 교환하는 영농 교육장인 동시에 동네의 사랑방이자 놀이터로, 우편 업무를 대행하거나 응급약을 공급하기도 한다. 외상과 급전을 융통해 줄 수 있는 마을 금융기관의 역할까지 겸하면서 농촌의 공동체 기능 유지에 핵심적인 기능을 수행해 왔다.

편의점과 마트에 익숙한 도시의 삶을 사는 우리가 끝내 가질 수 없는 '상상의 공동체'가 바로 원천상회다. 그래서 근래 구멍가게에 대한 콘텐츠가 쏟아져 나오는 것인지도 모른다. 일상이 아니라 여행이자 이벤트이니, 슈퍼에서 맥주와 라면 먹고 인증샷 찰칵! 그렇게 하루 들러 라면 한 그릇 먹고 떠나면 그뿐, 드라마 촬영 장소에 사람들이 대거 몰린 뒤 폐허로 남은 장소가 어디 한두 곳이랴.

원천상회가 굳건하려면 우체국과 보건소가 있어야 한다. 버스가 오고 가야 하며 담배를 사러 오는 노인들이 건재해야 한다. 아이스크림을 사러 오는 꼬마 손님들도 있어야 한다. 원천초등학교 전교생은 현재 30여 명, 1930년대에 세워진 유서 깊은 이 학교가 학생들이 없다는 이유로 문을 닫지 않아야 마을은 유지된다. 화천군 인구는 2021년 6월 기준 24,446명. 3월보다 60명

줄어든 숫자다. 아마도 세상을 떠났거나 지역을 떠났으리라. 근래 화천군은 원천농공단지 입주 기관을 유치하기 위해 뛰어다니느라 바빠 보인다. 결국 농촌이 살아남아야만 '원천상회'도 '쌍봉댁'들도 살아갈 수 있다.

배춧값이
정말 무서운가

때가 되면 나오는 기사를 '달력 기사'라 한다. 기념일 관련 달력 기사도 많지만 그중 명절 달력 기사의 역사가 가장 유구하다. '추석 물가 비상' 같은 보도 말이다. 추석이란 말을 빼고 거기에 '설날'을 집어넣어도 무방하다. 지역의 언론사들은 하나같이 군수나 시장을 중심으로 하는 명절 물가 관리 대책반을 꾸린다는 천편일률의 기사를 쏟아 내고, 여기에 대통령이나 총리, 장관급 정도의 중량감 있는 관료가 나서서 명절 물가 안정과 치안에 만전을 기하라 지시한다. 때로는 시장을 한 바퀴씩 돌면서 사과나 배를 들었다 놨다 하기도 한다. 대통령의 부인이 전통시장에 출현해서 장을 보기도 한다. 이전 정부의 독신 여성 대통령은 명절마다 친히 시장에 나가 장을 보기도 했지만 비서들 손에 넘겨진 까만 비닐봉지들은 어디로 사라졌을까? 좀 지겨운 반복이어도 명절에 막상 빠지면 허전한 성룡 영화 같은 익숙한 풍경이다.

2017년 추석엔 배추가 문제였다. '금치'란 말은 식상한지, 배추 한 포기를 사려면 '배춧잎 한 장'(10,000원)이 필요하다는 이야기가 흘러나온다. 추석을 앞두고 김치를 담그려 하는데 너무 올라 걱정이라는 주부의 인터뷰는 필수다. 포장 김치 회사들은 배춧값 때문에 원가 상승의 부담이 커서 팔수록 손해라며 하소연한다. 그런데 왜 배춧값이 폭락할 때는 포장 김치 회사를 취재하지 않는 것일까? 그때는 아마도 고춧값이 폭등했을 테다.

오래도록 명절 물가 상승의 주범으로 지목된 것은 농산물이었다. 그 원인으로는 봄부터 이어진 가뭄과 폭염, 그리고 늦장마나 병충해 때문이다. 혹은 곤파스, 불라벤 같은 태풍이 엎친 데 덮친 격으로 닥쳐와 작물에 '직격탄'을 때려서다. 태풍이 없을 때는 우박이라도 한번 휩쓸고 지나가서 농산물은 반드시 명절 물가의 주범이 되어야만 한다. 유독 올해만 그런 것도 아니다. '추석 물가', '명절 물가'라는 검색어로 신문을 찾아보니 1965년부터 2017년까지 한 해도 빼놓지 않고 비상사태다. 군부독재시대 땐 물량을 잡고 있다가 추석 때 비싸게 푼 유통업자를 구속시키는 패기를 종종 보이기도 했다.

하지만 농촌경제연구원에서 2017년 9월에 발표한 '주요 농축산 품목별 추석 출하 및 가격 전망'을 보면 과일과 채소는 출하량 증가로 작년 및 평년보다 가격이 낮을 전망이다. 축산물 공급은 작년보다 감소했지만 이는 소비 부진에 따른 것일 뿐이다. 살충제 계란 여파로 소비자들이 선뜻 계란에 손이 가지 않아 계란 값은 여전히 바닥세이다. 설날에는 너무 올라 버린 계란 값 때문에 계란 없이 전 부치는 비법을 전하기도 했었건만. 지금 배추와 무 가격은 평년보다는 높아도 작년 이맘때보다는 낮다. 산지에서 물량이 쏟아져 나오기 시작했고 날씨도 그럭저럭 받쳐 주어서다. 게다가 올해 재배량 확장으로 김장철 배춧값 폭락에 대한 우려가 나올 정도다.

소비자 물가 품목에는 농수축산물과 식음료, 그리고 공공요금과 각종 서비스 요금이 들어가 있다. 그중에서 가장 만만한 게 농산물이다. 국내총생산에서 차지하는 비율이 그토록 낮다며 '동네 바보' 취급하다가 왜 명절 때만 되면 17대 1의 싸움에서 이기고 돌아온 '일진'이 되어 있을까? 아무리 올라 봐라. 배춧값이 무섭나? 애들 학원비가 무섭지. 돼지고기 값이 무섭나? 2년 만에 오른 전세비 6천만 원이 나는 제일 무섭다.

우비라도
입으셨습니까?

물을 잔뜩 채운 커다란 고무통에 농약병 뚜껑을 따서 들이붓고 긴 각목으로 휘젓는다. 그렇게 만든 농약 희석액을 분무기에 넣고 논밭 여기저기에 뿌린다. 경운기나 트럭 동력을 쓸 때는 릴에 감긴 긴 농약 호스가 엉키지 않게 한 명이 경운기에 올라가 줄을 잘 풀어 내야 하는데 이걸 '농약 줄 잡기'라고 한다. 특별한 기술이 필요한 것은 아니지만 코를 찌르는 농약 냄새에 정신이 아득해지고 구토가 올라오기도 한다.

나도 한때 농약 줄 좀 잡았다. 아버지는 농약 연무 속으로 속수무책 걸어가셨다. 미세먼지도 거를 수 있다는 고효율 마스크도 아닌 그저 면마스크에 우비, 장화, 고무장갑 정도가 안전 장치의 전부였다. 20년 전 이야기이다. 아버지도 그랬고 동네 어르신들도 농약 친 날은 두통을 비롯해 소소한 몸살에 시달리시거나 농약 중독으로 병원에 한번씩은 실려 가곤 한다.

날씨가 뜨거워지면 풀과 벌레도 살판이 난다. 풀을 매기도 하고 '풀약'과 살충제도 써 가면서 농사를 짓는다. 누군가 잡초가 아니라 야생초라 했던가. 하지만 농사를 짓다 보면 작물에 빨대 꽂은 '조폭'일 뿐이다. 농약은 현대 농업의 숙명이다. 제초와 살충의 엄청난 효율성으로 생산량을 획기적으로 늘렸지만 그 부작용도 너무 컸다. 그 대안으로 유기농업과 친환경농업이 있다. 미지의 공포인 농약을 뿌리지 않거나 덜 뿌렸다는 이유만으로 기꺼이 지갑을 열겠다는 소비자들에게는 최종 결과물이 중요하다. 하지만 친환경 농업으로의 전환은 그나마 농민들이 농약을 덜 만질 수 있기 때문에 더 중요하다. 관행 농산물이라 하더라도 소비자들은 먹기 전에 잘 씻을 수나 있지만, 농약 원액을 만지고 뿌리는 농민들은 온몸이 농약에 노출되니 위험의 강도로 따지자면 가장 위험하다.

2017년 한여름, 살충제 계란으로 한바탕 홍역을 치렀다. 양계업은 소독에서 시작해서 소독으로 끝난다. 가금학 교과서에 보면, 병아리를 넣기 전부터 계사와 주변 소독 과정이 8회에서 10회이다. 구충과 구서(쥐잡기) 작업은 반드시 해야 하는 작업이고 병아리와 닭의 질병 치료도 해야 한다. 이를 잘 관리하는 것이 양계업의 핵심이다. 계사 내부 소독은 물론 퇴비장, 집란장, 하수

구 등등을 꼼꼼하게 소독하라고 지침이 나와 있다. 살충제 사용 지침에서는 두세 가지를 번갈아 쓰도록 권유하고 있다. 약제 저항성, 즉 내성이 생겨서 효과적인 방제가 어렵기 때문이다. 농민들이 하지 말아야 할 일을 한 것이 아니다.

방제를 실시할 때 우의와 보호 장구를 잘 갖추고 소독을 하라는 안전 지침이 있지만, 그 안전 장구가 여전히 우의 한 벌이다. 전문 방역사들이 입는 방제복은 인터넷 오픈마켓에서 십만 원이 훌쩍 넘는다. 이삼천 원 하는 일회용 방제복도 있지만 한 번 입고 버리면 그게 다 돈이다. 그래서 아직까지도 우의에 마스크 하나 쓰고 농약을 친다. 보호 장구를 잘 갖추라는 것은 권장 사안이지 의무 사안이 아니다. 아니 할 말로 보호 장구 안 갖춘다고 벌금 무는 것도 아니다. 그저 생산물에 농약이 묻었는지 안 묻었는지가 중요할 뿐.

입에 잘 붙지도 않은 낯선 외래어 '피프로닐'이 입에 붙기 시작한다. 사태야 어찌 되었든 누구 하나쯤은 살펴보았으면 좋겠다. 우비와 마스크라도 잘 갖추고 논밭으로 축사로 소독하러 다니고 있는지, 혹여 덥고 땀이 찬다고 중간에 벗어 버린 것은 아닌지, 보안경을 농가마다 갖추고는 있는지, 질 좋은 마스크는 쟁여 두었는지. 그 마스크는 재활용해서 다시 쓰면 절대로 안 된다고 누구 하나 잔소리라도 하고 있는지 말이다.

딸기 꺾기 체험

"툭툭 꺾으셔야 해요!"

행여 딸기 줄기가 다칠까 봐 양손으로 줄기와 딸기를 나눠 쥐고 낑낑대고 있으니, 딸기를 가볍게 쥐고 손목을 꺾어야 한다며 여러 번 시범을 보여 주신다. '톡톡' 딸기 꺾는 소리가 명랑하다. 때마침 비닐하우스에 잠깐 스치는 빗방울 소리가 딸기 꺾는 소리랑 박자를 맞춘다. 얼마 전 막걸리 추렴이나 하러 들른 지인의 딸기밭에서 그렇게 딸기는 따는 일이 아니라 꺾는 일임을 배웠다.

요즘 딸기밭은 체험 농장을 겸하는 경우가 많다. 딸기밭만이 아니라 전국 농촌에서 넘쳐 나는 것이 수확 체험이다. 아예 관광열차에 도시 사람들을 태워 매실 따기, 포도 따기 등 각종 체험 행사로 실어 나른다. 딸기밭은 그중에서도 어린이들의 체험 행사로는 단연 인기다. 딸기 싫다는 어린이는 드문 데다 날씨도 나들이하기 적당한 때다. 어린이들의 부모 대다수가 도시에서 나고 자라 농촌을 겪어 볼 일이 드물었기 때문에 자녀들에게 자연을 체험시킨다는 차원에서 수확 체험은 이래저래 인기가 높다. 게다가 돌아오는 길엔 수확물도 가져올 수 있으니 이보다 인기 있는 행사가 없다. 각 보육기관에서 이루어지는 수확 체험은 연례행사에 가까워 한 유치원에 오래 보내면 "올해는 고구마 말고 밤은 어떤가요?"라고 건의를 해 볼 지경에 이른다.

내가 방문한 딸기 농가도 자의 반 타의 반으로 체험장을 함께 운영한다. 그날도 유치원에서 체험 행사를 오기 때문에 실한 특등품 딸기는 그냥 두어야 한단다. 수확 체험 차원인데도 특등품을 거머쥐려는 욕심은 어른 아이 다를 것이 없어서다.

하지만 농사 경험이 아주 없지 않은 나도 '딸기 꺾기'가 만만찮은데 과연 이 밭이 온전할까 싶어 걱정을 앞세웠다. 아니나 다를까 체험 행사를 한번 치르고 나면 밭이 초토화되다시피 한다는 것이다. 크고 실한 딸기를 잡아당겨 놓아 아직 채 익지 않은 딸기도 상하고 줄기도 함께 상하는 경우가 많다. 그리고 다 담지도 못할 만큼 욕심껏 따 놓는 경우가 많다. 아무리 사전 주의를 주고 부탁을 해도 소용없다. 심지어 교사들도 말이다.

농가가 돈을 벌 수 있고 없고를 떠나, 체험 행사를 통해 도농

간 이해가 더 깊어지기는커녕 손쉽게 농촌을 소비하는 것은 아닐까? 생태 체험을 내세우지만 농촌 체험 행사에서 지켜질 생태는 과연 무엇일까? 기실 이 수확 체험 자체가 반反교육적이다. 콩 심은 데 콩이 나고 뿌린 대로 거두는 것이 농업이고 자연이라면, 각종 수확 체험은 심지 않아도 거둘 수는 있는 기이한 체험이다. 무엇보다 농사는 기승전'풀'. 풀 뽑는 일에서 시작하고 풀 뽑는 일에서 끝난다. 하지만 심는 과정도, 돌보는 과정도 없이 오로지 열매만을 취하는 것, 이건 우리 사회에 만연한 풍경이다. 과정이야 어찌 됐든 나만 특등품을 거머쥐면 되는 세상, 이걸 승자독식, 부정부패라 부른다.

농민들이 농사만 지어서 먹고살기 힘드니 고육지책으로 나온 정책들이 '관광 연계형 체험 마을'이니 '가공 공장 설립'이니 하는 것들이다. 하지만 바쁜 농사철 조무래기 뒷바라지에 진을 빼지 않고 농사에만 집중할 수 있도록 농산물의 제값을 보장하는 것만이 정답이고 정도이다. 나머지는 다 꼼수일 뿐이다.

눈물의 총각김치

줄초상이 났다. 전쟁도 없고 큰 돌림병이 돌지 않아도 여전히 줄초상을 겪는다. 2018년 5월 1일 '영암 미니버스 교통사고'로 운전사를 포함 여덟 분의 어르신들이 돌아가시고 일곱 분이 크게 다쳤다. 생몰을 보니, 연배가 가장 낮은 어른이 58세이고 대부분 70~80대 여성 농민이다. 최고령은 83세의 어르신이고, 유일한 남성 사망자인 운전자도 72세의 노인이다. 영암 교통사고로 알려져 있지만 사망자 중 영암군 시종면 주민이 세 명이고 나머지는 나주시 반남면의 주민들이다. 가문의 자부심이 높은 '반남 박씨'의 시조가 터를 잡았던 곳이다.

나주 반남면은 영암군과 이웃붙이여서 품을 사고파는 교류가 활발한 지역이다. 반남면은 1,650여 명의 주민들이 사는 전형적인 농촌 마을이고 단연 고령화 비율도 높다. 서로 얼굴과 형편은 어느 정도 알고 살았을 것이다. 그런데 이런 사고를 당했으니 지역사회가 받았을 충격이 짐작하고도 남는다. 동년배의 노인들이 꽃상여까진 못 타더라도 태를 묻은 곳에다 몸을 누이는 순한 임종을 매일 기도하고 살았을 텐데, 이 깊은 슬픔을 어쩌랴. 아무리 연로하다 한들 사고사로 생을 마감하는 것은 그 자신도 허망한 일이고 가족들에게도 큰 상처로 남는다. 함부로 돌아가실 때가 되어 돌아가신 것이라 말해서는 안 된다.

전남 영암군의 특산물로는 무화과와 한우, 그리고 '영암 알타리무'가 있다. 수확 철인 4~5월이면 알타리무라고도 부르고 달랑무라고도 부르는 총각무 수확 작업이 한창이다. 이 작업을 마치고 돌아오다 이런 참사가 일어났다. 농어촌에서 이런 사고는 흔한 일이다.

농어촌에서 현금을 쥘 수 있는 유일한 방법은 품을 파는 일뿐이다. 미풍양속이라 배웠던 '품앗이'도 사라진 지 오래이고, 한 동리에서도 현금으로 품값을 주고받는다. 새참이나 들밥으로는 배달 음식을 먹곤 한다. 푸성귀가 지천이긴 해도 화폐 없이 삶이 굴러가지 않는 것은 도시나 농촌이나 마찬가지이다. 농사도 돈으로 짓는다. 농사의 매 과정마다 기계 부리는 공임, 씨앗, 농약 값이 나가니 현금이 없으면 농사를 지을 수가 없다. 이제 모판 낼 힘도 없어서 모를 사 와 모내기를 한다. 기초노령연금이 조금 나오기는 하지만 그 돈으로 생활이 꾸려지지 않는다. 이유는 단순하다. 농산물 값이 너무 싸서 그렇다. 그래서 여든이 넘어서도 일을 할 수밖에 없다. 단순한 용돈 벌이가 아니라 생계 차원이다. 텃밭을 일궈 먹을거리를 조달하는 수준을 넘어 경제활동을 해야 하는 나름의 절박한 이유들이 있다.

오래전 혼자 되신 외숙모도 자식들이 도시로 오라 해도 할 줄 아는 노동이 농사일 뿐인데 도시로 가면 폐지나 줍지 않겠냐며 남으셨다. 하긴 호기롭게 어머니를 불러올리려는 외사촌들의 형편도 빤하다. 시골 고등학교 나와 도시에서 하는 일들의 거개가 그렇다. 농업 노동도 엄연히 임금 노동이다. 하지만 '노동'이란 개념이 약해서 법적 제도가 취약하다. 천만다행으로 이번 사고 버스는 자동차종합보험에 가입되어 있었다지만 그렇지 않은 자동차도 수두룩하다. 농장주가 단체상해보험에 가입해 두었다면 더 좋았을 텐데 그럴 생각조차 못 했을 것이다. 농촌에서의 보험이란 작물에 대한 재해보상보험이나 의료보험 정도일 뿐 사람에 대한 안전장치가 아니다.

농촌에서는 다치면 주변에 병원도 멀어서 장애를 입거나 목숨을 잃는 일이 더 잦다. 교통수단도 미비해 일상적인 치료를 받는 것도 벅찬 일이다. 한꺼번에 약을 지어 와 중간 점검도 없이 장복을 한다.

요즘 총각무 경락가가 5킬로그램에 6천 원이다. 보통 한 단이 3킬로그램 정도이다. 할머니들이 받았던 일당 7만 5천 원. 여기에서 차비와 소개비 떼고 새벽부터 6만 원을 벌었다. 할머니들이 마지막에 쥔 것은 돈다발이 아니라 총각무 다발이었다. 총각김치 먹다 보면 영암 할머니들 생각이 나겠구나. 아니, 꼭 울어야겠다.

이름도 남김 없이

2016년 8월. 백남기 농민 대책위와 4·16가족협의회가 '세월호 특별법 개정과 특검 의결', '강신명 경찰청장 처벌 및 국가폭력 진상규명 청문회 개최'를 요구하며 더불어민주당 당사에 들어가 단식 농성을 했었다. 백남기 청문회 개최 약속은 바로 나왔지만 세월호 가족들과 농민들은 일주일간 함께 굶었다.

혈서, 삭발, 삼보일배, 오체투지, 트랙터 끌고 여의도 진격하기 등 모든 것은 다 해도 '단식'은 못 하겠다 하는 이들이 농민운동가들이다. 아무리 기계가 편리해졌어도 뜨거운 햇볕 맞으며 오로지 몸으로 일궈야 하는 일이 농사다. 체력 소모가 많아 '밥심'으로 버텨야 하는 일이 농사다. 무엇보다 먹거리를 생산하는 사람들이니 밥만큼은 잘 먹고 싸우겠다는 뜻이기도 하다. 그런 농민운동가들이 2018년 9월 10일 청와대 앞길에서 농정 적폐 청산과 농정 대개혁을 촉구하며 무기한 단식농성에 들어갔다. 이른바 '국민의 먹거리 위기, 농정 적폐 청산과 대개혁을 염원하는 시민농성단'이다. 노동운동 현장이든 환경운동 현장이든 워낙 단식투쟁들을 많이 하니 그냥 그런가 보다 하고 말겠지만, 농민들에게 곡기 끊는 일이 얼마나 절실한지 사람들은 그 마음 알기나 할까.

2018년 9월 11일 화요일에는 국회 앞으로 전국에서 농민들 5천 명이 모여 와 농민대회를 열었다. 추석을 앞두고 한창 바쁠 철이지만 급한 마음에 서울로 올라왔다. 쌀 1킬로그램당 3,000원, 밥 한 공기에 300원을 보장하라는 구호를 목 놓아 외쳤다. 근래 쌀값이 너무 올라 물가 상승의 주범이라며 호들갑을 떨곤 하지만 고작 밥 한 공기에 300원 쳐 달란 요청이다. 이는 2015년 11월에 백남기 농민이 서울로 올라와서 외친 구호와 같았다.

지난 20년 넘도록 밥 한 공기 값이 200원이 될동말동했고, 2020년 흉년이 들어서 쌀값이 너무 올랐다 호들갑을 떨어도 250원 내외이다. 지금 도시의 지하철역 자동판매기 커피 한 잔 값이 400원이다. 현재의 밥 한 공기 값으로는 자판기 커피 한 잔 먹기 어렵다는 뜻이다. 아무리 쌀값이 뛰었다 한들 치솟는 아파트 값만큼 사람들의 삶을 옥죄겠나. 그저 농촌과 농민이 제일 만만해서 언론도 정치도 함부로 다룰 뿐이다.

박근혜 정부 때부터 현 문재인 정부에 이르기까지 급박하게 추진 중인 '스마트팜 혁신 밸리 사업'도 농민들은 갸우뚱할 뿐이다. 스마트팜 밸리에 선정이 되든 안 되든 농촌 사회에 갈등을 일으킬 것이 뻔하다. 사업의 규모나 추진 속도로 보아, '문재인 정부의 4대강 사업'이 될까 많은 농민들이 우려하고 있다. 농촌 주민들 입에 착 붙지 않는 화려한 이름의 사업은 유사 이래 계속 실패해 왔다. 이런저런 급박한 농업 현안들이 넘쳐 나지만, 자칭 '촛불 정부' 출범 이후 농정 공백이 너무 컸다. 이 공백을 메우자니 정부는 정부대로 숨이 찰 것이고, 생존이 경각에 달한 농민들은 더욱 숨이 막힌다.

그래도 농민대회는 흥겹고 흔전만전하기 마련이다. 술도 몇 순배 돌고 떡과 고기 접시가 돌곤 하지만, 이번 농민대회엔 통곡만 넘쳐났다. 9월 11일은 이경해 농민이 "WTO는 농민들을 죽이지 말라"며 멕시코에서 자결한 날이기도 하다. 9월 25일은 백남기 농민이 물대포에 맞고 열 달간 사투를 벌이다 끝내 숨을 거둔 날이기도 하다. 그런데 며칠 전인 2018년 9월 10일, 진주의 한 여성 농민이 자신이 농사짓던 비닐하우스 활대에 목을 매고 말았다. 청양고추 주산지인 진주는 오래전부터 너나없이 시설재배를 하지만 연이은 가격 폭락으로 고단한 생활이 이어져 문제가 되어 왔다. 고인은 열정 넘치는 농민운동가였다. 현장 분위기 메이커로 동료 여성 농민들의 배꼽을 빼놓곤 했다던데, 그의 마지막은 이토록 신산할 뿐이다.

슬하에 아직 어린 아이들 셋을 두었다는 전언엔 차마 귀를 닫았다. 감히 명복을 빌겠다는 말조차 꺼낼 수도 없는 잔인한 9월이다. 농민들은 연이어 죽어 나가고 또 기다렸다는 듯 적고 있으니 말이다. 내가 이 모든 죽음에 대해 더 이상 적지 않는다면, 이 죽음의 행렬로 끝이 날까. 야속하게 추석 명절은 왜 또 다가오는지. 이제 유족으로 불리는 가족들의 요청으로 끝내 이름을 남기지 못한다. 사랑도 명예도, 끝내 이름도 남김 없이 떠나간 이에게 깊은 애도를 보낸다.

그들이 우리를 먹여 살린다

코로나19로 농촌으로 들어오는 외국인 계절 노동자들이 들어오지 못하는 상황이 벌어졌다. 농촌 일손 부족 문제는 어제오늘 일도 아니고 외국인 이주노동자들에 기대서 먹고살아온 지 공식적으로는 20년 정도다. 하지만 1990년대에 시설재배 농사를 짓던 우리 집에도 '조선족 할머니'라고 부르던 중국 동포들이 당시 일당 3만 원을 받고 밭일을 했다. 시설재배 농가와 거래하는 인력소개소에 전화를 하면, 중국 동포들이 평소에는 식당일이나 가사도우미 일을 하다가 오기도 하고 다른 일을 구하는 사이에 임시로 밭일을 오는 경우도 많았다. 오로지 밭일만 하는 '조선족 할머니'들은 드물었고 농사는 그때도 인기가 없는 일이었다.

농촌에는 일 년 내내 돌아가는 축산업 같은 경우를 빼면 계절마다 필요한 노동력의 진폭이 크다. 벼농사는 기계화가 되어 국내의 인력으로도 메울 수 있지만, 문제는 사람 손에 전적으로 의지해야 하는 밭농사다. 밭농사가 가장 바쁠 때는 파종 시기인 봄과 수확 시기인 가을이다. 그간 한국은 기피 현상이 심한 노동 현장의 인력난을 '외국인 고용허가제'를 통해 해결해 왔다. 농업 분야에는 2004년부터 외국인 고용허가제가 도입되었는데, 이 제도는 상시 고용을 전제한다. 하지만 나물이나 노지 채소, 과수처럼 계절을 타는 농업의 특성에 딱 들어맞지 않아 계절 수요에 따라 일시 고용하는 '외국인 계절근로자 제도'도 2015년부터 병행하고 있다.

계절근로자 제도는 외국인 이주노동자들이 농업 분야에서 3개월에서 최대 5개월 정도 일하고 본국으로 돌아가는 제도다. 첫해는 외국인 계절노동자를 신청한 지자체도 한 군데였고 입국한 외국인들도 33명 정도에 불과했다. 하지만 지금은 농어촌 지자체마다 제발 인력 배정을 더 늘려 달라 정부에 매달리는 상황이다. 2020년에는 4,917명의 외국인 계절노동자가 한국 농촌에 들어오기로 했지만 코로나19로 발이 묶여 버렸다. 외국에서 입국한 사람들은 자가격리 2주를 거쳐야 한다. 하지만 자부담해야 하는 격리 비용도 부담스럽고 항공기도 자주 뜨지 않아 비행깃값마저 비싸져 여러모로 타산이 맞지 않는다.

외려 마음이 급한 쪽은 한국이다. 고용허가제를 통해 농수축산업에 종사했던 외국인 노동자들이 머물 수 있는 기간은 기본 3년에 1년 10개월을 더해 최대 4년 10개월이다. 체류 기간이 끝났더라도 원한다면 계절근로자로 전환해 3개월에서 5개월가량 일을 더 할 수 있도록 허가한다는 방침이다. 기왕지사 들어와 있는 외국인 인력을 활용하겠다는 뜻이다. 물론 한시적인 방안이다. 고추 주산지인 경북 영양군은 아예 지자체와 농가가 나섰다. 외국인 노동자들의 자가격리 비용을 농가와 지자체가 나눠 부담하는 방식으로 베트남에서 308명의 노동자들을 불러들이기로 했다. 하지만 이 계획은 무산되고 말았다. 코로나19의 여파로 외국에서 사람이 들어오는 데에 여론이 싸늘하기 때문이다. 이에 이주노동자들의 입국이 불허되었고, 영양군은 고추 수확에 큰 어려움을 겪어야 했다. 하긴 고추를 수입해서 먹으면 간단한 일 아니겠나.

코로나19로 해외 유입을 아예 차단하자는 말들을 쉽게 쏟아 내곤 하지만 한국도, 선진국들도 외국인 이주노동자들 없이 버틸 수 없다. 농촌 지역 경제에도 이들은 매우 귀한 존재다. 농촌의 슈퍼마켓과 편의점, 잡화점의 주요 고객들도 바로 외국인 이주노동자들이기 때문이다. 물론 외국인들도 차단하고 인력난 문제도 간단하게 해결하려면 도시에서 일자리를 구하지 못하는 내국인들이 농업 분야에 취업을 하면 된다. 실제 지난봄 한 지자체가 일손이 필요한 농가와 일자리가 필요한 내국인을 연결하는 사업을 실시했고, 대안이겠다 싶어 인터뷰를 청했으나 담당자는 조심스럽게 거절을 했다. 신청자가 단 한 명도 없어서 할 말이 없다는 것이다. 돈도 돈이지만 내국인들은 숙식의 문제가 제일 크게 걸린다고 말했다.

2020년 12월 20일, 경기도 포천의 채소 비닐하우스에서 일하던 31세의 캄보디아 이주노동자 속헹 씨가 목숨을 잃었다. 속헹 씨는 고용허가제로 입국해 비자 만료를 앞두고 며칠 뒤 고국으로 돌아가려고 비행기표를 끊어 놓았다. 소위 '불법 체류자'도 아니었던 것이다. 하지만 속헹 씨가 머물던 숙소인 일명 '농막'은 제대로 된 냉난방과 안전시설도 없었다. 속헹 씨뿐만 아니라 입국해 있는 농촌 이주노동자 70퍼센트가 임시 가건축물에 머물고 있는 것으로 조사되었다.

이렇듯 한참 전부터 한국 사람들에게 농사일은 하고 싶은 일이 아니다. 농사는 외국 사람들에게 매달리는 일이 된 지 한참 지났건만, 농산물 값은 왜 다른 나라보다 비싸냐는 불만까지 보태면서 말이다. 이제 솔직히 말하자. 우리가 아니라 그들이 우리를 먹여 살리고 있다.

누구를 위하여
컨설팅을 하나

10년 전, 충남에서 사회적기업 인증을 받은 카페의 운영자일 때가 있었다. 사회적기업 창업 붐이 일어나기 시작했을 때였고, 우수 사례로 남으려 고군분투했다. 하지만 아무리 뜻이 좋아도 냉혹한 장사의 세계였다. 수익은 못 내더라도 적자는 벗어나야 사회적기업도 생존이 가능하다. 그때 심사와 인증 주체인 지자체에서 잘해 보라며 컨설턴트 한 명을 파견해 주었다. 엄연히 세금 들어가는 일인 데다 자부담 비용도 들어가는 과정이었다. 무엇보다 경영 개선이 절실했기 때문에 컨설턴트의 말을 하나라도 놓칠까 싶어 손가락이 아플 정도로 꼼꼼하게 적고, 해 보라는 건다 해 보았다.

돌이켜보니 서울에서 내려온 그가 한 '상권 분석'이란 고작 카페 주변을 몇 번 걸어다니며 산책을 한 수준이었다. 결론만 말하자면, 컨설팅대로 장사는 되지 않았지만 그는 컨설팅 비용에 부가세까지 챙겨 갔다. 사실 컨설팅이 아니라 사기였다는 것을 깨닫는 데는 얼마 걸리지 않았다.

지난 2020년 8월 '청년농업인연합회'의 회원들이 국회에 모여 자신들의 이야기를 풀어놓았다. 청년 농업인을 육성해서 희망찬 농촌을 만든다는 정부의 정책은 현실 앞에서 막히고, 농업 정책에서 그저 청년의 이름으로 소비만 될 뿐이라며 자조를 했다. 농촌에서 잘살아 보고 싶지만 자본과 경험이 부족한 그들에게 내놓는 지원 정책에는 컨설팅 과정이 반드시 들어간다. 그런데 청년 농업인들이 공통으로 쏟아 내는 분노가 바로 부실한 '농촌 컨설팅' 문제였다.

일례로, 한 청년이 반짝거리는 기획으로 농촌지원사업에 지원 대상자로 선정되었다. 사업비 지원금은 총 5천만 원. 하지만 이행 의무 조항에 컨설팅을 반드시 받아야 한다는 것이 있었다. 사업비 집행기관에서 추천해 주는 컨설팅 업체에 사업비의 10퍼센트, 5백만 원을 지급해야 하는 조건이었다. 아이디어가 사업으로 실행될 때 착오를 줄이고 청년 농민이 농촌에서 제대로 정착해서 살아 나갈 수 있도록 도와야 하는 농촌 컨설팅의 의미야 뭐가 나빴겠는가. 문제는 부실한 컨설팅 과정이었다. 엄연히 농식품부 등록 업체이지만 실제로 농촌의 현실을 잘 알지도 못했다. 외려 청년이 컨설턴트에게 말한 농장 경영에 대한 포부와 그간 스스로 발로 뛰어 모은 자료를 그대로 가져가 PPT(파워포인트) 열일곱 장짜리 파일로 남겨 주고 떠났다고 한다. 물론 5백만 원은 꼼꼼하게 챙겨 갔다. 이 청년은 일명 '복불'(복사해서 붙이기) 혹은 '먹튀'(먹고 튀기)를 당한 것이다. 그 컨설팅 업체는 '농촌 컨설팅', 그중에서도 정부가 역점으로 삼는 '청년 농업인 육성'에 일조했노라며 경력을 부풀려 또 정부 인증을 받을 것이다.

청년 농업인들은, 태어났을 때 이미 세계는 인터넷으로 연결되어 있었고 컴퓨터와 스마트폰으로 세상과 소통하는 일이 밥 먹듯 쉬운 세대다. 그런데 농촌 컨설팅 수준은 여전히 SNS 사용법을 알려 주며 농산물 판매에 적극 활용하라는 수준이다. 그날 차라리 서로 솔직히 까놓고 말하자는 이야기도 나왔다. 몇몇 컨설턴트 업체와 지역 공무원들의 짬짜미를 그저 눈 감고 있을 뿐이라고 말이다. 몇몇 사업비 냄새 잘 맡는 농업인들이 농가 경영 개선 사업비를 따내 컨설팅 업체와 서로 눙치고 돈을 나눠 갖는 '백마진' 방식의 컨설팅도 넘쳐 난다는 것을 말이다. 오죽하면 부실한 농촌 컨설팅 업체들의 블랙리스트를 청년 농업인이 작성해서 서로 정보를 나눠야 한다는 제안까지 나오고 있다. 악화가 양화를 구축하는 일들이 지금 농촌에서, 청년 농업인들을 상대로 벌어지고 있다.

토마토 밟기

스페인 토마토 축제를 텔레비전에서 보고 깜짝 놀란 적이 있다. 사람들이 태산처럼 쌓아 놓은 토마토를 짱돌 던지듯 투척하고 발로 짓이기면서 노는 축제인데, 세계에서 가장 인기 있는 축제 중 하나란다. 아버지 연배의 어르신들이 보면 기함할 장면이다. 먹는 걸로 장난치면 천벌 받는다는 믿음으로 사신 분들이니 말이다. 나도 한때 천벌 받을 짓 많이 저질렀다. 발가에 던져 버린 토마토를 장화 신고 짓이겨 버리곤 했는데, 그때마다 엄마는 "하지 마라, 하지 마라, 큰일 난다"며 말리곤 하셨다.

'도마도 집' 딸이었던 나는 대학생 때 정통으로 IMF를 '때려' 맞았다. 형편이 쪼들리면 제일 먼저 지갑을 닫아 버리는 것이 과일 구매이다. 한국은 토마토를 과일로 먹다 보니 그 소비가 함께 줄어든다. 게다가 쌀값 형편없고 수입 개방은 대대적으로 벌어져 정부가 특작으로 방울토마토 권업을 많이 했었다. 결국 방울토마토와 그냥 토마토 모두 동반 추락. 최상품 토마토가 아닌 이상 트럭 장수는 가져가지도 않았고, 가락동이나 구리, 청량리 농수산물 시장을 빙빙 돌아도 실어 간 토마토를 하차조차 하지 못했다.

빨개지는 토마토는 유통이 어려워 상품성이 없다. '권투 장갑'이라 불리던 등급외품 토마토를 훑다시피 해서 발가에 던져 놓으면 그걸 주워 가는 치들이 있었다. 몇 개 정도야 주워서 간식으로 먹는 건 참겠지만 작정하고 주워 가는 사람들이 너무 얄미워, 당신도 못 가져가고 우리 집도 내지 못하게 아예 발로 짓이겨 버리곤 했다.

겨울부터 온실 따로 만들어 토마토 모종을 직접 기르고 애면글면 돌본 토마토로 인건비 보전은 언감생심. 종당에는 박스값과 상하차비, 작목반 회비도 건지질 못할 판이었다. 그나마 아버지가 모종 기르는 수완은 있어서 모종 값은 따로 나가지 않았으니 그거 하나 다행이었달까. 결국 갈아엎기다. 결정은 빠를수록 좋다. 작물은 자랄 때는 무섭게 자라기 때문에 농가에 부담으로 오기도 하거니와, 무엇보다 그 다음 작물을 빨리 심어 벌충을 해야 하니 말이다.

올해 상반기, 가뭄으로 배추가 귀했다. 배춧값이 괜찮아 좀 많이 심기도 했지만 무엇보다 날씨가 받쳐 주면서 김장 배추 폭락장이 돼버렸다. 배추 주산지에서 출하량 조절을 위해 트랙터로 배추밭을 갈아엎는 것으로 대책을 세우고 있다. 일일이 사람 손으로 배추를 뽑을 수도 없고, 밭떼기로 넘기지 못한 곳은 시간 지날수록 손해다. 포기당 200원입네, 300원입네 하는 마당에 사람 사서 수확을 한다는 것은 장고 끝에 악수이다. 그런데 트랙터로 갈아엎는 배추밭이 속출하고 있다는 뉴스에, 차라리 기부를 하지 음식 귀한 줄 모른다거나, 보상금 노리고 저렇게 갈아엎는다는 식의 물색없는 말들이 줄줄이 달린다.

농업은 생명을 살리는 일만은 아니다. 살리는 만큼 죽이는 일이기도 하다. 진드기도 잡고, 미국선녀벌레도 잡고, 탄저도 잡아야 한다. 농민들 몸과 마음 모두 죽여 가며 하는 일이 농사다. 돈을 벌겠다가 아니라 손해를 덜 보는 궁여지책으로 삼는 것이 '갈아엎기'다.

그해 부모님은 토마토를 엎어 버리고 겨울 오면 엽채 값이 오르려니 하면서 쌈 채소를 심었다. 하지만 IMF로 사람들이 삼겹살마저 사 먹지 않으니 쌈 채소는 갈 길을 잃었고, 부모님은 연거푸 밭을 갈아엎고 말았다. 트랙터가 없었던 우리 집은 트랙터 대여비와 공임비까지 보태서 말이다. 20년 전 토마토 함부로 발로 차던 시절의 이야기다. 피멍 자국으로 남은 토마토. 지금도 토마토는 입에 대지 않는다.

밥 한 공기의 쌀값

"끝없이 펼쳐진 푸른 들판." 이런 빤한 문장도 언제까지 가능할까. 우리 동네 아파트 자리만 해도 나 어릴 때 논밭이었다. 초등학생 때는 논에 물을 가둬 놓고 겨울방학 동안 한시적으로 운영하는 스케이트장도 있었다. 택지 조성하기에 가장 만만한 땅이 들판이다. 싸고 평평하니까. 도시의 아파트 생활자들은 사실 농촌에 기본적으로 부채가 있는 셈이다.

또 다른 한편, 푸른 들판이 아니라 '하얀 들판'이 전국에 펼쳐지고 있다. 돌아다니다 보면 분명 논이어야 할 땅에 비닐하우스가 들어와 있거나 비가림막 시설을 한 포도밭 등이 눈에 들어온다. 쌀농사 지어 밥 먹기가 쉽지 않은 것이 농촌의 현실이다 보니 논에서 밭으로 많이 전환되곤 하고, 그 자리엔 예외 없이 비닐하우스가 들어선다.

오랜만에 쌀값이 반등했다. 2017년 쌀 한 가마니(80kg)에 12만 원대였는데 2018년에는 17만 원대로 올라왔다. 쌀값 고공행진을 지적하며 몇몇 경제 신문은 '쌀 과보호' 정책 때문에 도시의 서민들은 죽어 나간다 야멸차게 말한다. IMF 이후 쌀값이 가장 큰 폭으로 상승했다는데, 이 말은 뒤집어 보면 그동안 물가 상승률 이하로 쌀값이 주저앉아 있었단 뜻이다. 이유야 여럿이다. 한국 농업이 미작 중심 구조로 내달려 왔기도 하려니와 쌀은 핵심 식량이므로 수매 제도와 같은 국가의 관리 대상이었다. 육종 기술과 재배 기술도 세계 최고 수준이고, 수확량도 많이 늘어났다.

그런데 밥 말고 먹을 것들이 지천인 세상이니 쌀 소비량은 많이 줄었다. 한 가마니에 17만 원이라며 호들갑을 떨지만, 요즘 누가 쌀을 한 가마니씩이나 먹나. 이미 국민 1인당 연간 쌀 소비량이 한 가마니에 미치지 못한 지 오래이고, 작년에는 60킬로그램 선도 무너져 59킬로그램 정도다.

선거구의 의미만 남아 소멸되지 않고 버티는 농촌이 좀 귀찮기는 하겠지만 그래도 유수의 정치인들의 농촌 선거 슬로건은 '쌀값 보장'이다. 대통령도 국회의원도 다 쌀값을 보장한다고는 했지만 지켜지진 않았다. 2015년 11월, 서울 광화문까지 올라와 선거 때 당신들이 약속했던 쌀값을 보장하란 구호를 외치다 보성의 한 농민이 물대포를 맞고 끝내 숨을 거뒀다. 쌀 때문에 사람이 죽어 나갔다.

농민들이 요구하는(그리고 정치인들이 약속한!) 20만 원대의 쌀값 보장은 밥공기로 따지면 한 공기당 300원을 보장해 달라는 이야기다. 갑자기 오른 것처럼 호들갑이지만 17만 원 선을 유지했던 쌀값이 주저앉은 것은 지난 정권 때의 정책 실패 때문이고, 이제야 값을 회복한 것일 뿐이다. 문재인 정부는 쌀 생산 감축을 목표로 '쌀 생산조정제도'를 공표했다. 논 타작물 전환 지원 사업인데 논에다 쌀 말고 다른 작물을 심으면 정부가 보조금을 지급한다는 의미다. 2018년 4월 20일이 신청 마지막 날이었지만 감축 목표 면적의 70퍼센트에 미치지 못했다. 이는 농촌에서 전작이라는 것이 쉽지 않기 때문이다.

일부 똑똑이들이, 쌀값을 자꾸 보장해 주니 농민들이 계속 쌀농사를 고집한다고는 하지만, 고령의 농민들에게는 가장 자신 있게 지을 수 있는 농사가 논농사다. 게다가 논은 기계화되어 고령의 농민들이 그나마 감당할 수 있는 농사다.

반면 비교적 젊은 농민들은 정부가 추동하지 않아도 논농사 대신에 신소득 작물을 찾는다. 우리나라의 최대 쌀 생산지인 전라도에서 딸기 재배가 늘어나고, 고급 쌀인 '경기미'의 주산지인 경기도 이천에서도 논을 밀어내고 비닐하우스를 지어 원예 농사를 짓는다. 그 비닐하우스 문을 열면, 또 딸기 아니면 토마토다. 결국 양평군의 딸기와 전라도의 딸기, 여기에 이천의 딸기까지 엉겨 경쟁이 붙고 가격은 하락하고 만다. 생산비에는 지가, 즉 땅값이 포함되는데 경기도보다는 전라도의 땅값이 싸다. 남도가 날씨가 따뜻해 난방비도 덜 들어 전라도 딸기 값이 경기도 딸기 값보다 조금 더 쌀 수밖에 없다. 그렇게 되면 경기도 딸기 농가는 난감해진다. 특정 작물의 경쟁이 치열해지고 서로 마이너스가 되고 만다.

초기 투자 비용이 많이 드는 원예농업은 한번 삐끗하면 농가에게 큰 타격을 준다. 하지만 축산업 아니면 과수 정도나 돈을 만질 수 있다고들 하니 근력이 남아 있는 농민들은 전작을 결행한다. 고령의 농민들은, 농사에서 은퇴하고 그 땅은 후배 농민들에게 넘겨주면 좋으련만 한 푼이 아쉬워 끝까지 논일을 한다. 한국 농업에서 쌀은 단순한 작물이 아닌 복잡한 존재다.

아로니아의 검은 눈물

비타민만큼이나 귀에 착 감기는 성분이 '안토시아닌'이다. 덜 늙으려는 고군분투 속에서, 대표적인 항산화 성분이라 알려진 안토시아닌 함유량은 슈퍼푸드의 절대 기준이다. 한때 흑미 열풍도 잠시 불었지만 지금은 '베리류' 과일들이 앞서거니 뒤서거니 하며 안토시아닌 서열 정리를 하고 있다.

2000년대 초반에는 블루베리가 대세였다. FTA로 과수 농가의 피해가 커질 것이 뻔해지자 대체 작물로 권장하던 작목 중에 블루베리가 있었다. 블루베리는 산성토에 잘 맞아서 '피트모스'라는 전용 흙에 키워야 한다. 흙은 물론 수입한다. 첫 수확에 시간이 5년 정도 걸리긴 했지만 블루베리 인기가 좋았다. 언론부터 홈쇼핑까지 블루베리 열풍에 가담했고, 이래저래 재배 지역이 늘었다. 하지만 값싼 미국산 블루베리가 밀려들어 왔다. 블루베리는 FTA 수입 피해 대상 품목에 들어가면서 소득 작목으로 각광 받은 지 몇 년 지나지 않아 2016년 포도와 함께 폐원 신청을 받는 작물이 되었다.

엇비슷한 시기에 안토시아닌의 왕, '킹스베리'라는 별칭의 아로니아가 떠올랐다. 2010년 전후로 새로운 소득 작물이자 대체 작물로 아로니아 열풍을 부추겼다. 방송사마다 아로니아를 소개했고 식품학계는 논문으로 아로니아 떡, 아로니아 막걸리 등의 항산화 효과가 뛰어나다며 과학으로(!) 증명하기에 바빴다. 불로장생의 꿈을 실현시켜 줄 과일에 사람들은 매혹당했다. 마땅한 대체 작물을 찾지 못한 농민들도 아로니아 재배에 뛰어들었다. 농업 기관에서도 아로니아가 괜찮은 소득 작물이 될 것이라 검증해 주었다. 정부가 하라는 것만 안 하면 된다는 농촌의 오랜 지혜를 거스르고 아로니아 농사에 뛰어든 것이다. 귀농인들도 큰 기술이 필요 없는 소득 작물이라며 귀농 교육 기관에서 권유를 받았다. 묘목도 지원해 주고 수매도 해 주겠다 하고, 무엇보다 고소득 작물이라는데 심지 않을 이유가 없었다. 단양군 같은 곳에선 군수까지 나서서 아로니아 권작을 하고 전용 가공센터까지 만들었다. 실제로 전국에서 가장 많은 아로니아 농가가 단양군에 몰려 있다.

하지만 아로니아 생과는 시고 떫고 쓰다. 몇 년 전 충남의 아로니아를 비롯해 구스베리니 커런트니 입에도 잘 안 붙는 베리 농사를 짓는 농가에 취재를 갔다가 아로니아 몇 개를 집어 먹었다. 웬만하면 농민들 앞에서 아무거나 다 먹지만 아로니아만은 뱉어 냈다. 블루베리와는 달리 생과로는 섭취가 애초에 불가능해서 가루나 즙을 내어 2차 가공을 해야 하는 작물이다. 아로니아 농사로 제2의 인생을 시작하고 싶었던 꿈은 원대했다. 아로니아 즙, 식초, 술을 담가 팔고 천연비누나 식품에 첨가해 부가가치를 올린다는 포부였다. 하지만 근래에 연락을 해 보니 "진즉에 접었지유"라는 말을 들었다. 제대로 팔아 본 적도 없고, 유럽 베리 산업의 중심지인 폴란드산 아로니아가 홈쇼핑을 통해 싸게 팔리기 때문이다.

정부의 FTA 피해 품목이 아니라는 말만 믿었건만 당연히 가공품 형태의 아로니아 시장은 손쉽게 열려 버렸다. 2018년 FTA 직불금 대상 품목 선정을 거부당한 아로니아 농가들이 모여 2019년 6월 농식품부를 상대로 행정소송을 제기했지만 패소하였다. 생과일로는 먹기 어려워 가루를 내어 먹거나 재가공을 해야 하지만, 수입을 한 건 가루이지 생과일이 아니지 않느냐는 정부의 주장에 손을 들어 줬다.

그나마 이 농가는 빨리 집어치워 품값이라도 아낀 것에 위안을 삼고 있었다. 지금 전국의 아로니아 농가들은 키워 놓은 나무를 뽑느라 포클레인 공임비마저 날리고 있다. 아로니아 메카로 만들겠다던 단양의 아로니아 가공센터는 지역 갈등의 중심지가 되었다. 아로니아 농사를 부추긴 정부는 뒷짐을 지고 있다. 매번 속으면서도 아로니아 헛소동에 휘말린 농가의 폐원 비용이라도 보장하라는 요청에는 구걸하지 말라며 서늘한 댓글들이 달린다.

최근 과수 농가에 크게 유행인 작물이 청포도 '샤인머스캣'이다. 한-칠레 FTA 이후 관세가 사라져 값싼 수입 포도가 밀려들어 오면서 우리나라에서 재배되던 캠벨얼리 포도와 거봉 포도가 경쟁에서 밀리기 시작했다. 여기에 기후에 예민한 포도의 품질이 떨어지기 시작했다. 너무 덥고 너무 추운 날씨가 야속하게도 대책 없이 반복되었다. 게다가 포도를 먹으면서 씨와 껍질을 발라내는 일도 점점 사람들이 귀찮아 했다. 씨도 없고 먹기 편한 샤인머스캣이 비싼 값에도 잘 팔렸다. 그래서 지금 포도 농가는 물론 자두와 복숭아 농가까지 샤인머스캣의 막차에 올라타고 있다. 아로니아의 검은 눈물이 샤인머스캣의 푸른 눈물로 이어지지나 않을까 마음을 졸이는 중이다.

아버지가 잡지 못한 행운

아버지는 돈 냄새를 잘 맡았다. 안타깝게도 잘 맡기는 하지만 꼭 대박 직전에 발을 빼는 재주를 가진 것이 문제이다. 일명 '마이너스의 손'인 아버지의 전설적인 행보는 명절 때마다 집안 단골 안줏거리이기도 하다.

부모님은 충주 비료 공장의 호황을 따라 1970년 충북 산골에서 충주로 이촌을 하였다. 그러다 1983년 비료 공장이 문을 닫고 지역 경기가 나빠져 새로운 삶을 고민했다. 선진 농업인 축산을 해 보고 싶어 충남 천안에 젖소 기를 땅을 구하고 가계약까지는 진행하였으나, 우유 파동이 주기적으로 일어나 영 마음이 불안하여 결국 포기를 하였다. 당시 목장 부지로 사려던 천안 땅이 약 1만여 평. 지금 그 위치에는 상전벽해가 일어나 초고층 주상

복합아파트가 들어서고 고속철이 지나가고 있다.

그리고 서울로 올라와 중랑천 인근 셋방을 얻어 살았다. 연탄 공장과 석재 공장이 즐비해 빨래가 까매지곤 했다. 식구는 많은데 무주택자인 아버지는 1989년 노태우 정권의 200만 호 주택 건설 정책의 수혜자가 되었다. 덜컥 1기 신도시인 분당 아파트에 당첨이 된 것이다. 아버지 인생에 찾아온 가장 큰 행운이었다. 당시 분당에 견본 주택을 보러 간다며 부모님은 상봉터미널에서 성남까지 가는 시외버스를 타고 겨우겨우 구경을 마치고 돌아와 신이 나서 통닭을 시켜 주었던가, 짜장면을 시켜 주었던가.

식구들은 분당 아파트에 아주 잠깐 살았다. 중학생인 나는 전학을 가지 못해 인근 작은집에 잠시 살았으니 아예 살아 본 적도 없는 집이다. 그때 가 본 분당은 그야말로 황무지에 아파트만 덩그러니 올라와, 슈퍼마켓도 없어 성남 모란시장까지 나가 장을 봐야 했다. 무엇보다 연고도 없는 동네 아파트에 식구들이 들어앉으니 부모님은 졸지에 실업자 신세가 되었다. 중도금이니 뭐니 해서 가용 자원은 다 빨려 들어간 상태였다. 건설 노동일과 함바집, 인근 경기도 남양주시(당시 미금시)의 시설재배 일을 하던 부모님께 동네 연줄은 중요했다. 일자리를 서로 알아봐 주었기 때문이다. 결국 버티지 못하고 분당 아파트를 팔고 중랑구로 돌아왔다. 아파트를 팔려 할 때 버텨 보자 했던 엄마에게 아버지는 아파트 땅은 내 것이 아닌 것이 영 불안하다는 이유를 댔다. 하지만 외환위기를 넘기지 못하고 땅 위에 지었던 2층 양옥마저 내놓고 말았다. 마침 집을 팔라는 업자들이 있어서 급하게 넘겼다. 집이 팔리자마자 동네는 중랑뉴타운 지구로 지정되면서 값이 올랐다. 아버지는 이번에도 며칠 끙끙 앓았다.

그다음 옮겨 간 곳은 경기도 광명시 외곽의 연립주택이었다. 손에 쥔 돈으로는 광명, 시흥, 부천의 연립주택 정도가 가능했다. 그때 광명으로 가자고 한 건 나였다. 이유는 시인 기형도가 살았던 곳이어서다. 아무 연고도 없는 이 동네에서 기형도라는 시인이 살았었다는 것만이 유일한 심정적 연고였다. 하지만 얼마 지나지 않아 광명에는 고속철과 경륜장이 들어서고 온갖 재개발로 몸살을 앓았다. 정을 붙일 만하던 때 동네 싸움이 끊이지를 않았고 이 싸움에 휘말려야만 했다. 아버지는 지난한 과정을 겪고 흘러 흘러 인천에서 말년을 보내고 있다.

돌이켜 보면 아버지가 거머쥐지 못한 행운들은 신기루일 뿐이다. 고급 정보를 물어다 줄 친인척도 없고, 정보가 있다손 쳐도 투자를 할 돈은커녕 담보 잡힐 가산도 없는데 부동산 투자는 언감생심이다. 농지에 묘목을 박아 놓고 때를 기다리는 것도 저들이 말하는 능력 맞다. 때 되면 호봉 올라가고 4대 보험 튼튼한 공무원과 공기업 직원들은 담보물보다도 더 높은 대출을 당길 수 있다. 행운은 저들에게만 따라붙는 전용 상품이다.

2021년 3월, 공무원 몇몇이 개발 호재를 예측하고 광명 땅을 사들였다 한다. 시인 기형도는 광명에서 「질투는 나의 힘」을 썼건만, 오늘 나의 질투는 아무런 힘이 없다.

경자유전의 원칙

"대한민국은 민주공화국이다"라는 헌법 제1조의 장엄을 느끼고 있다. 가까운 법은 도로교통법이나 경범죄 정도였지, '헌법' 같은 큰 법을 인식하고 살 일이 얼마나 있었겠나. 그런데 날아가는 새는 못 떨어뜨려도 현직 대통령을 끌어내려 감옥에는 넣을 수 있는 '공화국'의 실체가 무엇인지는 알았다. 헌법은 국가 체제의 큰 밑그림이다. 지금 헌법은 1987년 국민들의 민주화 투쟁으로 쟁취한 헌법이기도 하다. 갑작스럽게 다가온 대선 정국과 함께 내각제냐 대통령 중임제냐라는 입에 잘 붙지도 않는 개헌 논의가 오간다.

개헌 논의가 나올 때마다 한번씩 발로 툭툭 차는 헌법 조항이 있다. 헌법 제121조, "국가는 농지에 관하여 경자유전의 원칙이 달성될 수 있도록 노력하여야 하며, 농지의 소작제도는 금지된다"는 '경자유전의 원칙'이다. 장관이나 정치인들이 불법으로 농지를 소유했느냐며 청문회장에서 성토될 때 저 원칙이 한번씩 등장한다.

이런 경자유전의 원칙이 존폐의 기로에 있다. 어차피 농사를 지을 농민들은 늙었고 농촌도 텅텅 비어 가는데 농지 소유 자격을 완화해서 국토나 잘 활용하자는 것이다. 다양한 탈법으로 존재하는 '부재지주'의 실체도 인정하고 농지를 소유한 기업들의 소유권도 합법화시키자는 것이다. 실제로 2017년 2월 국회 개헌특위(헌법개정특별위원회)에서 경자유전의 원칙을 삭제하자는 여론에 대한 의견을 농민 단체들에게 물어 왔고, 농민 단체들은 반발하는 중이다.

'경자유전의 원칙'은 1987년 헌법에 정식 명시되었지만 그 이전 헌법에서도 농지는 농민, 즉 경자에 한해서만 소유할 수 있다는 원칙을 확인하고 있다. 제헌 당시 농민은 곧 국민이었고 대다수가 소작농 신세였다. 하여 소작제 폐지와 자작농 창설은 권력의 원천인 농민들이 열망한 국가의 밑그림이었다. 더욱이 한국뿐만 아니라 2차 세계대전 이후 많은 나라에서도 경자유전의 원칙을 세우고 농지개혁을 단행했던 세계적 흐름이 있었던 데다 북한이 먼저 토지개혁을 단행하면서 남한 정부도 농지개혁에 박차를 가할 수밖에 없었다. 지주의 땅을 몰수해 농민들이 농사짓도록 하는 '무상몰수 무상분배'의 농지개혁을 북한이 단행하자 당시 남한 최고의 땅 부자이자 우파 한민당의 당수인 김성수도 남한의 농지개혁(유상몰수 유상분배)에 동의할 수밖에 없었다.

많은 사람들이 땅은커녕 오르는 전월세에 허덕대며 도시에 산다. 경자가 유전을 파든 말든 상관할 바 아니다. 심지어 경자유전의 원칙과 관련한 판례 중 상당수는 농지법에 묶여 자신의 재산권 행사를 제대로 할 수 없다는 헌법 소원이지, '경자유전 원칙'의 훼손 문제에 대한 헌법 소원은 많지 않다.

그러나 지상의 모든 음식은 땅에서 온다. 바다에서도 오지만 '바다 농사'라는 말을 들어보면 어민들에게도 바다는 농지다. 음식에 대한 과도한 정보로 먹기도 전에 질려 버리는 세상이지만, 음식의 근간인 농지 문제는 내 삶과 멀기만 하다. 누가 농사를 짓든 그저 싸고 맛있고 양만 많았으면 좋겠다는 세상이다. 하지만 소작농이란 말만 사라졌을 뿐 여전히 부재지주들에게 땅을 빌려 농사를 짓는 임차 농민이 절반 이상이다. 강남이나 분당처럼 논밭 밀어내고 언젠가는 한방이 터지길 기다리는 부재지주들에게 농업직불금도 흘러들어가는 판이다. 그런데 그나마 힘없는 경자유전의 원칙마저 싹둑 잘라 낸다면 우리의 밥은 어찌 될까.

공화국의 국민인지도 모르고 살다가 이렇게 권력의 원천을 확인할 일이 생긴다. 대한민국 헌법 제1조도 우리에게 그렇게 다가왔다. 몇 글자 되지 않는 명목상 원칙이어도 헌법에서 버려야 하는 이유이다. 경자유전 원칙, 함부로 발로 차지 마라. 너는 단 한 번이라도 땅에 씨앗을 심고 거두어 보았느냐.

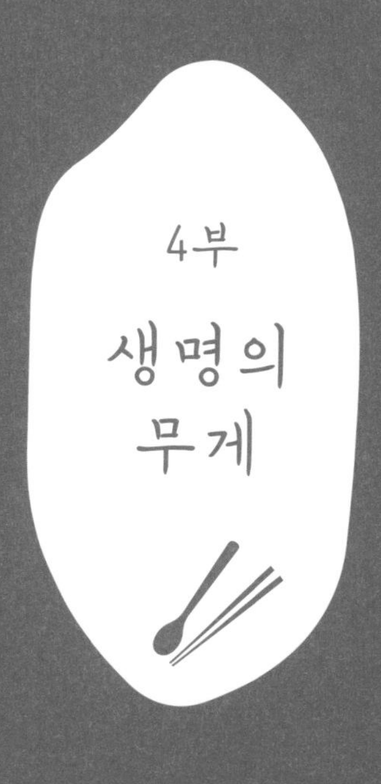

4부

생명의 무게

•

•

•

순진무구함이 훼손될 때 사람들은 크게 분노한다. 어른보다는 어린이들이 다치거나 목숨을 잃었을 때 분노가 극에 달한다. 근래엔 반려동물과 살아가는 이들이 많아지면서 동물 학대에 대한 공분도 비슷하게 일어나곤 한다. 동물은 '순진'과 '무구' 모두에 해당하는 대표적인 생명체이기 때문이다.

무구한 동물들이 죽어 나갈 때면 살처분한 동물의 머릿수를 세면서 자료를 '업데이트'하곤 한다. 최근 자료를 근거로 삼아야 한다는 명분이지만 너무 무감하게 이 숫자를 세다 흠칫한다. 몇만 마리보다는 몇천만 마리가 죽었다는 표현이 사람들의 눈과 귀를 낚아채기 쉬운 탓이다. 김준태의 시에서처럼 감꽃을 세다 머리 굵어져 전쟁 통에 죽은 사람 머리통을 세고 있는 기분이 들기도 했다.

모든 생명은 살아 있는 동안에는 귀할지 몰라도 죽을 때는 슬플 뿐이다. 하물며 오로지 먹기 위해 길러지는 가축은 살아서도 죽어서도 비참을 벗어나지 못한다. 이에 말을 가진 인간으로서 동물의 비명을 대신하려는 노력은 매우 귀할뿐더러 지금의 문명을 돌아보게 만든다.

하지만 농업의 관점에서 본다면 축산업은 복잡다단하다. 쌀도 딸기도 토마토도 돈이 되지 않는 한국 농업에서 축산업은 그나마 돈이 되기도 하였다. 사료가 나지 않는 나라에서 닭과 돼지, 소를 키우려면 더 많은 공력을 들여야 한다. 자기 시설에서 노동력을 투입해 일종의 공임비를 먹는 구조가 한국의 축산업이다. 여기에 주기적으로 발생하는 전염병으로 가축들이 죽거나 예방적 살처분을 하게 되면 고통을 직접 겪는 곳도 농촌이다. 본인이 축산업 종사자가 아니더라도 이웃과 친인척들이 겪는 일이어서 마을은 단박에 초상집 분위기가 된다. 살처분 상황을 뉴스를 통해 듣는 것만으로도 보통의 시민들은 슬픔을 느끼고 꼭 죽여야만 하느냐 비판도 보탠다. 하지만 살육의 현장에서 아비규환을 겪는 이들이 마음을 추스르고 차분한 대책을 세울 때까지 먼발치의 사람들은 삼가고 위로를 건네는 것이 먼저여야 하지 않을까.

모든 생명의 무게는 같고, 똑같이 그 무게를 감당하고 있다는 말은 정작 무게를 나눠 지지 못한다. 우리가 먹는 밥을 위해 무게를 더 많이 지는 이들이 있음을 인정하는 것부터 시작해야 한다.

'홍천 고딩 달걀'

시간강사로 있던 학과의 이름이 조금 복잡했다. 환경, 자원, 생명, 이런 이름이 들어간 학과는 예전에 농대 소속의 학과였지만 IMF 이후에 많은 농과대학들이 이름을 바꾸었다. 그래서 주로 강의를 하는 학과가 어떤 곳인지 부연하곤 했다. 농업고등학교도 이제는 바이오나 생명, 하이테크 같은 말을 이름 앞에 붙여서, 언뜻 들으면 대체 뭘 배우고 가르치는 학교인가 싶을 때가 있다. 인척 중에 농고에 진학을 한 학생은, 학교 이름에 '과학'이란 말이 붙는 바람에 자기를 과학고에 간 수재로 오해하는 이들에게 "나는 그런 사람 아닙니다" 하고 괜히 해명하곤 한다.

2016년 7월, 지역에서는 '홍농'으로 더 잘 알려진 홍천농업고등학교의 학생들, '농고생'을 만났다. 농업이라는 이름을 붙이기가 면구스러워 곳곳이 '신분 세탁'을 완료한 이때, 꿋꿋하게 촌스러운(농촌스러운!) '농업고등학교'란 이름을 잇고 있으니 꼭 가 보고 싶었다. 교장실에는 트로피나 표창장 대신에 계란판이 차곡차곡 장식장을 차지하고 있었다. 교장 선생님은 특강 담당 선생님에게 계란을 챙겨 주란 당부도 잊지 않았다. 교정에서는 밀짚모자를 쓴 전공 교사들이 자전거로 작업장을 오고 가고, 학생들은 실습장에서 농작물을 돌보느라 분주했다.

조는 학생도 있고 무슨 치킨을 시켜서 먹느냐는 질문도 받아 가면서 강의를 마무리했다. 기념사진을 찍으면서 양계반 3학년 학생들에게 졸업하면 홍천 터미널 앞에서 치맥 한번 사겠다는 약속을 했다. (혹여, 이 글을 읽은 그날의 '역전의 용사들'은 연락을 주시라! 치맥 꼭 쏩니다!)

'소원나무'에 걸려 있는 학생들의 소원을 몇 개 살펴보니, 펫숍을 차리고 싶다거나 공무원이나 부사관을 꿈꾸는 학생도 있었다. 또 유치원 교사를 꿈꾸거나 대학 진학을 바라는 학생들도 있었다. 장래 희망으로만 보자면 '농고생'의 꿈은 아니다. 그럼에도, 대학 진학을 위해 꿈을 유예하는 일반계 고등학생들의 꿈보다는 훨씬 더 구체적이니 그 꿈들이 꼭 이루어지길.

홍농의 양계장에선 2,700수의 닭이 하루에 70판에서 80판 정도의 알을 낳는다. 홍농의 양계장은 정결했다. 학생들의 배움터라는 의미가 우선이기 때문에 첨단 시설과 기술을 갖추고 있는 데다 담당 교사와 담당 주무관의 헌신까지 더해져서 그렇다. 기실 사람에게나 방학이 있지, 닭이야 사람 사정 봐주는 것은 아닌지라 농고의 교사와 학생들에겐 방학이 없다. 이 뜨거운 여름에도 양계 전공 학생들은 매일 학교에 나와 두세 시간씩 닭을 돌보고 계란을 받아 냈다.

오랫동안 '홍농 계란'은 학부모와 인근 주민들에게 판매하고 학교의 장학금으로 요긴하게 써 왔지만, 2016년 갑작스럽게 행정이 발목을 잡았다. 일정 규모를 넘어서 사육을 할 경우에는 개인 판매를 할 수 없다는 새로운 법 규정 때문이었다. 하지만 교과서에 규정한 방식대로 가르치고 배우는 학교의 양계장은 개인이 부업 삼아 기르는 규모를 넘어설 수밖에 없다. 다행히 특별규정으로 홍천농고의 계란은 여전히 인기리에 판매되고 있다. 심지어 홍천 장날에도 '홍농 계란'은 팔리고 있다. 홍천농고에 가서 계란을 사려면 미리 예약을 해야만 살 수 있을 정도로 인기가 높다. 몇 년 전부터는 지역의 어려운 이웃들에게 홍농 학생들의 계란이 전달되곤 한다. 잘 배워서 귀하게 생산해 이웃 사랑까지 실천하니 '알짜 사랑'이다.

어쩌면 농고를 졸업하고도 농업 분야에 진출하지 않을지도 모른다. 그렇다 해도 홍농에서 익히는 마음과 자세는 생산자의 마음일 터. 이 학생들이야말로 한국의 농업을 지탱하는 가장 귀한 씨앗이 될 테다. 제 살림을 꾸려 갈 나이가 되어 슈퍼에서 계란 한 판을 사더라도 왕년에 계란 키워 본 눈에는 '농민'의 마음도 담겨 있지 않겠는가.

강의를 마치고 돌아와 '홍천 고딩 달걀'(학교에서 이 브랜드를 갖다 쓰신다 하면 기꺼이 양보해야지) 한 알 부쳐서 밥을 먹다 왈칵 눈물이 쏟아졌다. 이들의 손이야말로 구체적인 실체를 만들어 내는 귀한 노동의 손이지 않는가. 조카뻘 학생들의 노동에 기대어 먹는 한 끼의 구체성 앞에서 한없이 부끄러워서였다.

쌀과 소시지의 무게

말과 글로 쌀과 반찬을 구하는

나를 소개할 때 '농촌사회학 연구자'라고 하지만, 이는 딱히 학교나 연구기관에 적을 두지 못한 상태에서 나를 얼버무리는 일이기도 하다. 그래도 자신의 직위에는 삶의 지향이 담겨 있으니 '농촌 사회를 연구하는 사람으로 살겠다'는 정도의 뜻이라고 부연하곤 한다. 주로 하는 일은 전국을 떠돌며 말과 글을 팔러 다니는 일이다. 이런 직업을 두고 우스갯소리로 '글로생활자'라고도 하고 '말로생활자'라고도 한다. 글과 말로 쌀과 반찬을 구한다.

나는 주로 농촌에 가서 농민들을 많이 만난다. 곧잘 쌀을 비롯해 여러 가지 농산물을 선물로 받을 때가 많다. 주로 버스나 기차를 타고 다니는 탓에 사과나 감 같은 무거운 과일을 주시면 어쩌지를 못할 때도 많다. 그럴 때마다 "이고 지고 가면 다 먹게 돼 있다"며 안겨 주신다. 양계장 취재를 가면 계란을 한 판씩 주셔서 집까지 오는 내내 계란이 혹시 깨질까 봐 거의 모시고 오다시피 하곤 한다. 아니나 다를까 이고 지고 들고 오면 다 먹곤 한다. 농촌 살림살이 빤하다 보니 강의비로는 너무 적다 싶어 쌀이나 농산물로라도 채워 주시려는 마음을 모르지 않아 감사히 잘 받아 먹고 산다.

아버지는 살림 난 지 근 20년이 되어 가는 딸네 집에 오셔서 아직도 쌀통을 습관처럼 열어 보신다. 반 말들이(4kg) 쌀을 두고 먹는 딸이 못내 불안하고 안쓰러운지 "아버지가 쌀 한 가마니 팔아 주랴?"라며 묻곤 하신다. 식구들은 적고 바깥에서 먹고 들어오는 때가 많아 쌀 반 말 먹어 치우기도 쉽지 않다. 그런데도 쌀을 쟁여 놓아야만 마음이 놓이는 그 시절의 습속이 여전히 남아 있어서다. 아버지 또래의 노인들은 '쌀을 산다'가 아니라 '쌀을 판다'라는 말을 쓰신다. 어릴 때는 이 말을 이해하기가 어려웠다. '산다'와 '판다'의 의미가 뒤섞인 언어 도착 현상이라고는 하지만, 이 말 속에는 농촌 경제의 근간은 쌀이고, 쌀을 내다 팔아 살림을 꾸려야 했던 쌀 중심의 사고가 깃들어 있는 것이리라.

'일용할 양식을 주시고'

성 베네딕도회 왜관 수도원의 소식지 『분도』의 원고 청탁을 수락하고 마음에 부담이 컸다. 아무래도 이 소식지를 받아 보는 독자들은 모두 신실한 분들일 텐데 '나이롱 신자'에 가까운 내가 수도회 소식지에 글을 쓰는 것 자체가 부끄러운 일일 것 같아서였다. 첫 원고를 보내 놓고 얼마 지나지 않아 '분도소시지'가 왔다. 원고에 대한 답례품이었다. 검박한 수도회 소식지에 얄은 글 하나 보탠다고 원고비를 받을 생각은 당연히 안 했지만 분도소시지를 받아 들고 한참 마음이 흐뭇했다. 아이들 반찬으로, 그리고 꼭 맛보고 싶어 했던 언니들과 나눠 먹었다. 연재 제목인 '일용할 양식을 주시고'라는 제목에 딱 어울린다 싶었다. 글이 소시지로 변하는 기적이라니! 얄은 글과 말들이지만 이렇게 남의 살과 피를 취해 나도 먹고 아이들도 먹이면서 살아왔다 생각하니 괜히 가슴께가 뻐근해졌다.

하지만 견물생심이라고, 처음에는 순수하게(?) 지면을 채운다는 마음으로 글을 썼지만, 또 은근히 분도소시지가 언제 오나 기다려졌다. 슈퍼마켓에 가서 시판 소시지를 들었다가도 내려놓곤 했다. 어쩌면 분도소시지가 올지도 모르니까 말이다. 그러다 소시지 공장에 HACCP(해썹) 시설을 갖추려고 당분간 소시지를 만들지 못한다는 소식을 들었다. 묘한 섭섭함이 밀려왔다. 내가 이러려고 글을 썼나, 자괴감도 들었지만 소시지로 바뀌는 글이라 생각하면 그 기다림 또한 큰 기쁨이었기 때문이다.

기르는 일, 죽이는 일

분도소시지 작업장 공사가 마무리되어 간다는 소식을 들었다. 그런데 때마침 아프리카돼지열병ASF이 발생하고 말았다. 아프리카돼지열병은 돼지에게는 가장 치명적인 전염병이다. 구제역이나 조류독감으로 무구한 가축들이 땅에 그대로 묻혔던 고통이 시작되었고 더 퍼질까 봐 큰 걱정이다. 아무리 먹기 위해 기르는 동물이긴 하지만 그렇게 한꺼번에 죽어 나가는 모습을 보고 많은 이들이 큰 충격을 받았다. 그리고 현대 축산업의 근본적인 한계에 대해서 고민을 하기 시작했다. 현대의 축산업은 동물을 기르는 일이기도 하지만 죽이는 일이기도 하다. 특히 사육장 내의 밀집도도 문제이지만, 농장들이 지역별로 밀집되어 있어서 가축전염병이 돌기 시작하면 반경 내에 희생당하는 가축들이 더 많아질 수밖에 없다.

아프리카돼지열병은 구제역보다 훨씬 더 치명적인 전염병이다. 백신도 없고 치료 방법도 없다. 그리고 돼지 치사율이 100퍼센트이다. 바이러스 잔존 시간이 길어서 아프리카돼지열병이 발생했던 곳에서는 '당분간'의 수준이 아니라 양돈업 재개가 아예 불가능하거나 매우 어려워진다. 이는 한 가족의 생계 수단이 사라지는 일이기도 하고 지역사회에 큰 불행이기도 하다. 또 돼지에 매달려 있는 유통과 외식업자들은 어쩔 것인지 답답하기만 하다. 아프리카돼지열병의 발병 원인은 다양하다. 바이러스에 감염된 야생 멧돼지가 옮기기도 하고, 아프리카돼지열병 바이러스가 잔존하는 잔반 사료를 먹고 걸렸을 수도 있고, 사람과 물류가 이동하면서 바이러스를 옮겼을 수도 있다. 원인은 다양하지만 이에 대한 대응 방법은 오로지 선제적인 살처분뿐이라는 것이 안타까울 뿐이다.

아프리카돼지열병 확진 판정이 나고 여기저기 언론 취재 요청이 들어왔다. 북한에까지 아프리카돼지열병이 발생한 때가 2019년 늦봄이었고, 그렇다면 한반도에 아프리카돼지열병 바이러스가 들어온 것으로 간주하고 공격적인 차단 방역을 해야 한다는 입장을 줄곧 칼럼과 방송으로 이야기해 왔기 때문일 것이다. 바이러스 확진 판정도 받지 않은 돼지들을 꼭 죽여야만 하느냐는 기자들의 질문에는 "낭만적인 질문은 하지 마시라"고 매정하리만치 일갈했다. 슬프지만, 덜 죽이기 위해서 죽여야 하고 그것이 우리가 먹는 고기가 처한 운명이다. 더 싸게 더 많이 즐기려면 한꺼번에 많이 키우고 많이 죽여야만 소위 '단가'라는 것을 맞출 수 있고, 그것을 무감하게 구워 먹었던 것이 우리 자신이다.

또 한편에서는 저렇게 생명이 죽어 나가는 참담함을 보면서

'테마주'라 하여 주식시장을 분석을 하는 치들이 여기저기 말의 죄를 쌓고 있다. 돼지고기 값이 치솟을 터이니 돼지고기 수입상들이나 동물 약품을 취급하는 업체의 주식이 오를 것이라는 정보이다. 이에 더해 돼지고기 소비가 위축되면 그 대체재인 닭고기 값이 오를 테니 국내 최대 육계업체인 하림의 주식이 오를 것이라는 전망도 내놓았다. 죽이지 않고 살려 보는 방법은 없냐는 순진한 질문에 그런 방법은 없다고 냉정하게 말한 내 대답이 더 차가울까, 아니면 오를 만한 주식 정보를 찾아 나선 이들의 벌건 눈이 더 차가울까.

저울로 잴 수 없는 생명의 무게

때마침 수도회에서 분도소시지 대신 발아현미 양배추죽을 답례품으로 보내 주셨다. 병석에 누운 언니에게 요긴하게 쓰였다. 이러나저러나 내 글이 이토록 구체적으로 현현顯現한 적이 없었다. 손에 만져지는 것 없이 통장에 찍힌 숫자였던 원고료는 어쩐지 늘 내 것 같지가 않았다. 하지만 수도회에서 보내 준 소시지나 양배추 현미죽 같은 것들의 구체성은 말로 표현하기 힘든 뭉클함이 있다.

농촌에서 농민들이 줄 것은 쌀뿐이라며 쌀을 주실 때마다 그 묵직한 무게가 나를 죄인으로 만들곤 한다. 쌀과 소시지에는 저울로 재어지지 않는 생명의 무게가 깃들어 있지만 내 말과 글에는 그만큼의 무게가 있는지 전혀 확신할 수 없어서이다. 아프리카돼지열병 사태를 맞닥뜨린 분도소시지의 무게가 천하의 무게와 같아서 들어 올릴 수가 없을 것 같다. 그저 이 죽음의 행렬이 멈출 수 있게 해 달라 하느님께 빌고 또 빌 뿐이다.

타들어 가는 나무,
타들어 가는 농심

농촌에서는 '과수원 집'이란 택호를 여전히 쓴다. 논농사 중심이었지만, 1960~1970년대에도 '특작'이라 우대 받으며 돈 좀 만지는 농사는 과수와 축산이었다. 그래서 과수원 집 아들딸들은 주머니에 철전이라도 넣고 군것질 좀 할 수 있는 동네 부자의 대명사이기도 했던 시절이 있었다. 한해살이 과채가 아닌 과수의 경우, 첫 수확에 걸리는 시간도 5년 안팎이고, 기술의 숙련도도 축적돼야 하고, 저장 시설을 갖추어야 하는 등 자본이 많이 투하되는 농업이다.

2019년 전국의 과수 농가들이 마음을 잔뜩 졸였다. 아니 2015년부터 잔뜩 긴장 상태이다. '과수화상병'이라는 치명적인 전염병이 사과 주산지인 충주와 제천 등지에서 발생하였고,

2021년 올해까지도 중부 지역에 발생하고 있어서다. 말 그대로 과일나무가 화상을 입은 듯이 타들어 간다는 이 병은 2015년 안성의 배 농가에서 처음 발생한 뒤 충북 일대와 경상북도까지도 퍼지고 있다. 친숙한 과일인 사과, 배 등 장미과 식물에 발생하는 병이다. 확산도 빠른 데다 아직 치료법도 없어서 치명적이다. 확진 판정을 받으면 반경 100미터 내외 과수화상병 기주식물은 매몰해야 한다. 게다가 3년 내에 그 땅에 기주식물은 심을 수 없다. 그런데 그 기주식물에 우리가 즐겨 먹는 사과, 배, 복숭아, 자두, 딸기까지 포함된다. 폐원 3년 뒤 그 자리에 묘목을 심어 수확을 하려면 최소 4~5년이 더 보태지므로 7~8년 동안 농가의 생계는 정지된다.

이는 우리를 경악시켰던 구제역의 살처분 풍경과 매우 흡사하다. 오죽하면 '과수 구제역'이라고도 부른다. 구제역은 백신이라도 있지만 과수화상병은 그것마저도 없으니 '과수 아프리카돼지열병'쯤 될 것이다. 다만 가축들은 비명을 지르는데 과일나무들은 비명 없이 땅에 묻힌다는 것만 차이가 있을 뿐이다. 과수 농민들에게는 나무를 매몰하는 장면이 살벌한 살풍경이지만 도시인들에게는 큰 충격을 던져 주진 않았던 모양이다. 하긴 안 먹어도 큰일 안 나는 과일이라 여겨서일지도 모르겠다. '디저트'로 분류되는 과일은 굳이 국내산 생과일이 아니어도 대체품들이 차고 넘치는 세상이다.

그동안 약 95억 원의 예산이 투입되어 과수화상병 관련 연구를 진행하고 있지만 아직까진 이렇다 할 결과물은 나오지 않고 있다. 2019년 이후 사과 주산지인 충주에서는 계속해서 과수화상병이 발병하고 있다. 2019년 과수화상병이 발병한 농가의 생산자가 다른 과수원도 빌려 사과 농사를 짓다 보니, 사용하던 작업 도구를 통해 과수화상병을 옮긴 것으로 추정하고 있다. 가급적 내부 인력은 이동하지 말고 소독된 작업 도구와 장갑을 쓰라고 권고하지만, 과수원 일은 이주노동자들의 계절 이동 노동으로 대체된 지 오래다. 바람과 곤충으로도 전염된다는데 다양한 원인들 속에서 그나마 만만한 것이 사람 단속이나, 농업 현실에는 맞지 않는다.

사과 주산지인 충주에는 한 농가만 과수화상병에 걸려도 반경에 과수원들이 많아 모두 폐원을 할 위험이 크다. 충주시에서도 가장 외진 곳인 엄정면, 산척면, 소태면, 동량면 일대 과수원의 피해가 가장 컸다. 과수원 깊숙이 사과나무를 묻고 결국 초당옥수수 같은 대체 작물을 심어서 후일을 기약해 보려던 차에 허언이 심한 유통업자가 붙어 초당옥수수 60만 개를 팔아준다 하였다. 여기에 넘어간 농협과 농민들은 큰 손해만 보고 이 사업도 접고 말았다. 유행 따라 한두 번 먹고 말았던 초당옥수수의 인기도 시들하고 생각보다 재배 관리가 쉽지 않았던 탓이다.

때 이른 추석이라 덜 여문 과일들이라도 쏟아져 나온다. 추석 명절 하나 바라보고 달려왔을 폐원 농민들은 이 장면이 부럽기도 하고 야속하기도 할 것이다. 과일. 누군가에겐 디저트여도 농민들에겐 생존 자체이다.

댁내 소는 안녕하신지요?

"저는 닭 전공이지, 대가축 전공이 아니어서요."

조류인플루엔자 난리 통에 양계 산업의 기업 쏠림 현상과 농식품부와 방역 당국의 직무 유기에 소견을 보탤 일이 여러 번 있었다. 조류인플루엔자가 종결되지도 않은 상황에서 구제역 사태가 벌어지자 모 언론 매체의 연락을 받고 거절 아닌 거절의 궁색한 대답이 저랬다. 닭 전공이란 말에도 어폐가 있다. 사회학을 공부한 내가 떠드는 말은 인터넷 검색 수준이다. 그저 농촌 농민 이야기가 좀 더 많아져야 한다는 마음만 앞서 천지 분간 못 하고 떠들어 댔을 뿐, 부끄러움과 오류는 오로지 내 몫이다.

다만 매체 담당자에게 '물가 안정'을 내세워 수입에는 도가 튼 정부가 돼지고기와 쇠고기 수입 카드를 재빨리 내놓지 않겠느냐는 말은 보탰다. 산란계 닭이 죽어 나가고 계란 값이 오르자 대책이랍시고 계란 수입 카드를 제일 먼저 꺼냈으니 말이다. 신선란 수입 경험이 없어 한미 간 팀스피릿 훈련하듯 비행기로 흰 계란을 실어 온 마당에 소, 돼지는 얼마나 쉬운가. 먹어본 고기에 수입해 본 고기다. 거기에 구제역 발생 원인을 농민들에게 밀어내기 할 것이라는 삼척동자의 전망까지 덧댔다. 아니나 다를까. 구제역 책임을 농가에 떠넘기기에 급급하다. 내가 작두를 탄 것인지, 아니면 익숙하고도 빤한 길을 정부가 걸어온 것인지.

한 사건에는 여러 당사자가 있지만 가축전염병 재앙의 우선 당사자는 축산 농민이다. 어제까지 키우던 가축을 축사 뒤에 묻고, 동물 사체 썩는 냄새로 그 고통을 매일 직면하는 당사자 말이다. 하나 상제의 곡소리보다 객들의 곡소리가 담을 넘는다. 살처분 보상금이 있지 않느냐거나 땅도 좁은 이 나라에 축산이 웬 말이냐며 수입해서 먹자는 말의 폭격. '구제역 테마주'를 내세운 주식 전망까지 횡행하니, 이런 객쩍은 말의 폭력에 상제의 곡소리는 더 높아져 간다. 할 말도 많고 억울함도 크지만 일단 방역이 절실하니 차제에 잘잘못을 따져 보기로 축산 농가의 의견이 모아지고 있다.

돼지 멱 따는 소리나 닭 모가지 비트는 소리를 직접 들은 마지막 세대가 나일 것이다. 농촌에서는 애경사가 있으면 으레 돼지를 잡았다. 마을 큰 어른들이 돼지를 잡으면 아주머니들은 양동이에 선지피를 받아 순대를 만들거나 국을 끓였다. 키운다는 것은 죽이는 일과 지척의 일이었다. 그러나 이제 이런 사육제는 없다. 대량생산 대량소비 체계에 맞춰 도계와 도축은 위생의 이름으로 전용 시설에서 이뤄진다. 소비자는 핏물마저도 깨끗하게 빠져 있는 상품으로서의 고기를 무심히 구울 뿐이다. 모자이크로 처리된 살처분 장면을 TV로 보면서 말이다. 죽임의 현장과 멀어질수록 먹는 일에 감정은 실리지 않는다. 가급적 더 싸게, 많이 먹을 수 있다면 더 바랄 것도 없다. 그러니 당국이 저리 빨리 수입 카드를 빼어 들고 "걱정 마라. 세계는 넓고 고기는 넘쳐난다"는 메시지를 친히 보내는 것 아니겠는가. 먹는 사람, 죽이는 사람 따로 놓인 세상에 땅에 묻힐 소의 머릿수만 무심히 늘어간다. 조류독감도 아직 창궐 중이니 죽어 가는 닭의 머릿수도 자꾸 보태어진다.

농촌의 안부는 이렇게 묻는다. 올해는 무엇을 심고 한 해의 농사는 어땠느냐고. 그래서 나도 여쭈었다. "댁내 소는 안녕하신지요?" 충남에서 젖소를 키우는 한 농장주는 "하늘에 맡겼다"는 인사로 받아 안으셨다. 축산은 현대 농업의 승리라 배웠는데, 축산이 천수답 농사였는지는 이제 깨닫는 중이다.

우리는
죽여 보지 않았다

살처분의 추억

한국에서는 2003년부터 2017년까지 닭과 오리를 비롯한 가금류 약 7천만 마리가 매몰 처분되었다. 그중에서도 2016년 11월부터 2017년에 1월 사이에 발생한 조류인플루엔자AI로만 약 3천만 마리의 닭과 오리가 땅에 묻혔는데, AI가 산란계에 주로 발생하면서 그 충격이 더했다. 치킨이야 좀 안 먹고 지낼 수 있다지만 계란만큼은 그럴 수가 없는 식품이다. 당시 사람들은 속절없이 매몰 처리되는 닭과 병아리를 보는 것을 힘들어 했지만, 한 판에 4천 원 내외로 밥상을 수호하던 계란이 졸지에 1만 원까지 치솟으면서 받은 충격도 컸다.

2000년부터 2015년까지 구제역으로 매몰된 대가축은 387

만여 두수에 이른다. 구제역이 창궐한 2010년 겨울부터 2011년 초봄까지 한 계절에만 347만 마리가 죽어 나갔다. 대가축인 돼지와 소의 살풍경은 가금류보다 압도적인 스펙터클이었다. 냉혹한 말이지만 이렇게 많이 '죽여 보았기' 때문에 현장에는 경험이 쌓이고 매뉴얼이라는 것이 생긴다. 가축전염병에 따른 '긴급행동 지침'의 규준은 세계동물보건기구OIE의 지침에 준한다. 한국보다 먼저 대량 생산 체제의 축산업에 나서고 가축 질병에 대응해 본 국가의 경험이 녹아 있는 매뉴얼이기도 하다. 이번 아프리카돼지열병에 대한 대응도 결국 이전의 AI와 구제역의 매몰처분 경험에 빚지고 있다.

'공장식 축산'으로 표상되는 축산업에 대해 환경 운동, 특히 동물권 운동 진영의 문제 제기가 본격적으로 나온 것도 AI와 구제역 발생 때였다. 병에 걸리지 않은 가축까지 매몰하는 예방적 살처분에 대한 문제 제기가 주를 이루었고, 인도적 살처분에 대한 지적도 많았다. 가축들의 의식이 완전히 소실되지 않은 상태에서 그대로 땅에 묻히는 장면들이 SNS를 타고 공유되면서 동물권 문제를 공론화했다. 막상 매몰 처분 현장에서는 짧은 시간 안에 대량의 가축을 매몰하다 보니 '인도적 살처분' 지침은 지켜지지 못할 때가 많다. 하지만 깊게 들여다보면 축산업이란 가축을 기르는 일인 동시에 죽이는 일이기도 하다. AI나 구제역만큼은 아니어도 다양한 가축 질병으로 인한 살처분은 늘 있어 왔다.

아프리카돼지열병과 멧돼지

예방 백신도 치료법도 없어 돼지에게 가장 치명적이라는 아프리카돼지열병이 북한 지역에 발생한 때가 2019년 늦봄이다. 이는 한반도에 아프리카돼지열병 바이러스가 들어왔다는 뜻이므로, 양돈 생산자들은 멧돼지 살처분을 전제로 하는 공격적인 차단 방역을 요구해 왔다. 사람에게는 국경이 있지만 멧돼지에게는 국경이 없기 때문이다. 그러나 휴전선이 멧돼지 유입을 막아 준다는 공허한 대답만 돌아올 뿐이었다. 결국 폐사된 멧돼지에서 아프리카돼지열병 바이러스가 연이어 발견되고 나서야 멧돼지 포획에 적극적으로 나서라는 지침이 떨어졌다. 가축의 주무부처는 농식품부지만 야생동물은 환경부의 소관이다. 야생동물을 보호해야 할 환경부가 '죽이는 일'에 나서기는 퍽 난감했을 것이다.

그러나 농민들의 분노도 바로 여기에 있다. 농민보다 멧돼지가 중요하냐는 것이다. 멧돼지는 아프리카돼지열병 바이러스의 '원흉'이기도 하지만, 꼭 그뿐 아니라도 멧돼지로 인한 고통은 그동안 이만저만이 아니었다. 도심에 출몰하는 멧돼지는 단신 뉴스거리이지만, 농촌에서는 일상적인 고통이다. 여성 농민들이 혼자 밭을 맬 때 가장 무서운 존재가 멧돼지이다. 성인 남성보다 몸집이 훨씬 큰 성돈 멧돼지는 공포 그 자체다. 무엇보다 농작물 피해의 주범이기도 하다. 감자, 고구마, 옥수수는 물론 과수의 최대 포식자인데, 과일을 따 먹기만 하는 것이 아니라 나무에 몸을 부딪쳐 가지를 부러뜨려 놓곤 한다. 새끼들이 편하게 먹을 수 있도록 어미 노릇을 하는 것이다.

논도 멧돼지의 주요 놀이터다. 본능적으로 진흙 목욕을 좋아하는 돼지들에게 여름에 물 찬 논은 최적의 목욕탕이다. 벼가 태풍에 눌리면 세우기라도 하지만 멧돼지에 짓이겨지면 구제할 방법이 없다는 것이 농민들의 하소연이다. 인간의 무분별한 개발로 서식지가 파괴되어 야생동물들은 그저 식량을 구하러 내려올 뿐이라는 '생태적으로 매우 옳은 분석'도 농촌에서는 한갓진 말로 들릴 뿐이다. 멧돼지가 먹거리를 찾아 내려오는 민가가 주로 농가이고 생계를 짓밟히는 이들도 농민들이기 때문이다. 결국 멧돼지 보호구역을 지정해야 한다는 대안 등이 제시되지만 현실적으로 가능한지는 의문이다.

기르고 죽이는 이들의 곡소리

가축전염병의 근본 문제를 공장식 밀집 사육으로 지적하곤 한다. 하지만 이 말은 모든 것을 설명할 수 있지만 아무것도 설명할 수 없기도 하다.

고령화와 경제적인 문제로 농민들은 해마다 줄어든다. 그런데 전체 가축의 사육 두수는 지난 5년간 축산 통계를 보면 크게 줄어들지도 늘어나지도 않았다. 축산 농가의 수가 줄어드는 대신 농장의 대형화 추세가 뚜렷하다. 아예 축산 기업이 기존의 농가와 계약을 맺고 축산업에 간접 진출하기도 한다. 자급률이 낮은 탓에 사료 곡물은 전적으로 수입에 의존하고, 인건비 상승으로 가축 생산비는 점점 더 올라가지만, 고깃값은 제자리에 멈춰 있다. 결국 단가를 맞추는 방법은 사육 두수를 늘리는 것뿐이다.

이에 더해 도시인들도 고기에 매달리는 삶을 산다. 즐비한 삼겹살집과 치킨집은 누군가의 최후의 직장이고 한 가족의 생계이다. 가급적 싼값에 고기를 사들여 많이 팔아야만 생계를 꾸릴 수 있기 때문에 선택의 여지는 많지 않다.

2019년 아프리카돼지열병이 국내에 처음으로 발생한 지 3년이 지났다. 좁은 국토에서 다닥다닥 기르다 보니 지역 밀집도가 높아 예방적 살처분 반경에 많은 가축들이 포함되어 더 많이 죽는다. 축사 내 밀집도보다 지역 밀집도가 문제의 핵심이다. 양돈은 경기와 충청에, 양계는 호남에 집중되어 있다. 사료 공장과 도축장과의 거리, 그리고 소비지 배후에 자리를 잡기 때문이다.

단지로 되어 있는 한국의 축산업은 농촌 주민들의 고통이기도 하다. 일상적으로 분뇨 냄새를 맡아야 하는 사람들도, 가축들이 죽어 나가면 그 살풍경을 봐야만 하는 이들도 농촌 주민이다. 기르는 곳에서 가축이 죽어 나가고 그 자리에 기르던 가축들을 묻고 그 무덤을 매일 마주하는 이들도 농촌 주민이다. 축주는 기르는 자이기도 하고 죽이는 자이기도 하다. 가축을 돌보는 노동자 다수는 낯빛이 다른 이주노동자들이다. 이들은 자신들이 일하던 농장의 가축들이 살처분되어 일자리를 잃으면 그대로 살처분 업체의 노동자가 되기도 한다. 아프리카돼지열병이라는 장례 행렬에서 죽여 보지 않은 이들의 곡소리가 상주들의 곡소리보다 더 높은 상황이 썩 흔쾌하지 않은 이유도 여기에 있다.

고창의
외로운 '닭 싸움'

25년 전 이맘때, 우리 집 토마토나 따라는 엄마한테 '농학연대' 하고 오겠다며 전북 익산으로 농활을 갔다. 농민들에게 많이 배워 와 우리 집 농사를 더 열심히 돕겠다는 핑계를 댔다. 익산시 성당면의 전형적인 수도작 마을이었는데 장마철인 7월 초순엔 일도 없었고, 당시에도 벼는 기계로 짓는 농사가 되어 겸업 농가가 많았다. 농학연대를 하자면 사람을 만나야 하건만 낮에는 사람 구경이 어려웠다. 주민들이 육계 회사 하림의 대형 도계장에 돈을 벌러 다녔기 때문이다. 그래서 학생들끼리 일을 할 때도 많았다. 당시 마을에는 육계 회사에서 기증한 닭 튀김기가 있었고, 닭도 흔해 마을 잔치에 직접 치킨을 튀기는 생경한 풍경이 펼쳐졌다.

전북 지역에는 유독 고깃닭(육계)과 육용 오리 업체들이 많다. 산업의 집적 효과 때문에 사료 공장, 사육장, 도축장이 몰려 있어 조류인플루엔자가 터지면 취약 지역이기도 하다. 육계 부문은 지난 몇 년 공급 과잉 상태로, 사육 두수 조절을 하지 못하여 골치를 앓는 산업이다. 육계 회사들끼리 시장을 선점하기 위해 치열하게 경쟁하느라 많이 기르고 많이 잡는다. 여름 성수기에는 매달 1억 마리가 넘는 닭을 잡는데 다 먹지 못해 창고에 얼려 두더라도 산업은 돌아간다.

그런데 지금 하루 최대 84만 마리의 도계를 할 수 있는 대형 도계장이 전북 고창군에 들어선다는 계획이 잡혀 반년 넘도록 지역에 '닭 싸움'이 벌어지고 있다. '참프레'라는 브랜드로 유명한 육계 기업 동우팜투테이블이 고창군 고수면 산업단지에 도계장을 만들겠다는 것이다. 이를 기업 유치라는 명분으로 군수와 몇몇 유관 단체가 환영 의사를 밝히면서 급박하게 일이 돌아가는 중이다.

도계 과정은 어리장에 실려 온 닭을 계류장에서 잠시 안정시킨 뒤 전기로 의식을 소실시키고, '샤클'이라는 갈고리에 걸어 피를 빼고 털을 뽑는다. 기계로 내장을 적출하고 똥집이나 닭발처럼 용처가 있는 가식 부위 외에 털, 머리, 내장과 같은 불가식 부위는 곱게 갈아 열처리를 하는 렌더링 과정을 거쳐 사료나 퇴비의 원료로 만든다. 이 과정에는 엄청난 물과 전기가 필요하다.

뜨거운 물에 닭을 담갔다 빼는 탕적도 해야 하고, 세척과 냉각 과정에도 많은 물을 써야 한다. 고창 고수면에 들어서려는 도계장에서는 하루 8천 톤의 물이 필요하다는데, 이는 전체 고창 군민들 하루 사용량의 3분의 1에 해당하는 어마어마한 양인 데다 그만큼 폐수도 발생할 수밖에 없다.

육계 기업으로 유명한 하림그룹도 경기도 안성시 양성면에 하루에 돼지 4천 마리, 소 4백 마리를 도축할 수 있는 도축장 건립을 추진 중이다. LPC(축산물종합처리장 및 도축장)와 육가공 설비, 체험 관광 시설 등을 갖춘 '축산식품 산업단지'를 건립하겠다지만 결국 동물을 잡는 시설이다. 축산 기업들은 도축장이나 도계장이라 하지 않고 '육계 가공 공장'이나 '축산물 종합 시설' 같은 이름을 붙이지만 결국 본질은 도축 시설이다. 하림그룹은 2007년에 양돈 기업인 '주식회사 선진'을 인수하면서 도축장 건립을 계속 시도해 왔고 밀어붙이고 있다. 안성시에서는 민간사업이어서 개입할 여지가 없다 하고, 주민들은 격렬하게 저항하고 있다.

축산 농가들 또한 도축장이 축산업의 필수 시설인데도 반대의 뜻을 밝혔다. 하림이 대형 도축장까지 갖게 되면 지금보다 더 무소불위의 힘을 갖게 될 것이라는 우려이다. 그렇게 되면 양돈과 한우도 육계처럼 기업형 수직계열화의 수순을 밟게 되어 농민은 하림의 하청업자로 전락할 것이라는 두려움 때문이다. 무엇보다 도축장끼리 도축 물량을 확보하기 위해 경쟁은 더 심해질 것이고, 그러면 동물을 더 많이 기르고 더 많이 죽일 수밖에 없다.

백번 양보해 고용 창출의 효과 때문에 도축장을 받아들이더라도 도축장의 노동은 엄청난 소음이 일고 피가 튀는 일이다. 고령의 농촌 주민들이 감당할 수 있는 일이 아니니다. 결국 외국인 노동자들의 일이 되고 만다. 25년 전 농활 들어갔던 마을의 어머니들이 당시에는 40~50대여서 감당할 수 있었을지 몰라도 지금 농촌에서 도계장 일을 할 수 있는 여성 주민들이 몇이나 될까.

2013년 고창군은 지역 전체가 유네스코 생물권보전지역으로 등재된 청정 지역이다. 복분자와 수박을 특산물로 기르던 조용하고 아름다운 곳이다. 이웃들 간에 목소리 높일 일이 없던 고을에 주민들 간의 골이 깊게 파이고 있다. 정작 도축 시설 현황 '0'인 수도권 사람들 치킨 먹자고 저 먼 동네에서 목을 건 '닭 싸움'이 한창이건만 구경꾼조차 없어 더욱 쓸쓸하다.

군세권을 아십니까?

농촌 지역에서 '맛집' 고르는 나름의 눈썰미가 있다. 버스터미널과 기차역 주변에서 먹지 말라는 정설도 도시에나 해당하는 말이고, 작은 고장에서는 기차역과 버스터미널 주변이 중심지여서 먹을 만한 식당도 그 주변에 있다. 군청이나 읍·면사무소의 공무원, 농협 직원들이 빛바랜 주렴을 손으로 들추고 들어가는 백반집이 맛있다. 군부대 소재 지역이라면 나이 지긋한 군무원들이 사병들을 데리고 가서 먹는 집이 맛집이다. 임실 터미널 근처의 피순댓국집도, 원통의 작은 국숫집도 그렇게 찾아낸 나만의 맛집이다.

'군세권'이란 말이 있다. 군부대 주변에서 군인들이 주요 소비자로 등극하면서 상권이 되살아나는 효과를 말한다. 요즘은 일과 시간 이후에 외출을 허가하기 때문에 군시설은 기피 대상이 아니라 가게에 붙은 프리미엄이다. 피시방이나 노래방, 프랜차이즈 패스트푸드점, 카페 등 농촌 읍내에서 누가 이용할까 싶은 상점들이 즐비한 곳도 대체로 군부대 지역이다. 황석영의 소설 「삼포 가는 길」에 나오는 '백화'는 군부대 지역을 전전하던 술집 작부였다. 잠시 머물고 떠날 군인들에게 마음을 주고 매번 소모품처럼 버림받지만 사병들이 전속지로 떠날 때마다 차부에 나가 버스가 사라질 때까지 서 있곤 한 인물이었다. 이렇게 오래전부터 군부대 주변의 이미지를 향락과 연관 짓던 때도 있지만, 근래엔 농촌 지역에서 유지되는 유일한 상권이 '군세권'이다.

철원, 화천, 인제, 고성 등 접경 지역의 주민들과 정치인들은 정부의 '국방개혁 2.0'에 따른 군부대 폐쇄 및 이전에 반대하고 있다. 하지만 대중의 여론은 대체로 싸늘하다. 그동안 군인과 면회를 온 그 가족들에게 바가지요금을 씌우며 먹고살았지 않았느냐며 자업자득이란 말까지 퍼붓는다. 실제로 바가지요금과 관련한 민원이 잦기는 하나 '군인 우대 및 할인'을 해 주는 상점들도 접경 지역에서는 흔하건만, 미담은 악담을 이길 수 없는 모양이다.

군부대 이전이나 폐쇄에 대한 반응은 지역사회의 내부를 갈라놓기도 한다. 군부대가 상업 종사자들에게는 구매력이 있는 새로운 인구 유입처이다. 하지만 군부대가 실제로 들어설 곳은 논밭이 있는 전형적인 농촌 마을이다. 전주에 있던 35사단이 임실군으로 옮긴다는 계획에 임실군 주민들의 여론은 대체로 환영이었지만, 대곡리와 감성마을 주민들은 끝까지 저항했다. 갑작스운 강제 이주 문제 때문이었다. 소농과 임차농의 비율이 높았던 그곳에서 논밭이 강제 수용되면 고령의 농민들이 어디로 가서 농사를 짓겠는가. 주민들이 소송을 대법원까지 끌고 가며 저항했지만 35사단은 임실군에 자리를 잡았고, 나는 늙은 군인을 따라 순댓국 맛집을 하나 발견했을 뿐이다.

바가지요금으로만 몰아세우고 있지만, 오랫동안 국가 안보의 이유로 군사 지역 주민들은 개발 제한과 생활 불편을 감수해 왔다. 국가 안보의 혜택은 국민 전체가 누려도, 희생은 특정 지역에 국한된다. 그렇게 좋은 군부대라면 송파구에 있던 특전사 부대가 옮길 때 주민들은 왜 환영을 했겠는가. 시설 주변의 불편과 미개발 문제 때문이다. 대체로 군부대 이전 설치를 요구하는 도시들은 군사시설보호구역이나 개발제한구역으로 남은 곳들이 마지막 노른자위 땅이고 재산권을 제한받는다. 그래서 군부대가 이전하고 나면 쾌적한 아파트와 상업 시설을 지어 부동산 가격을 올릴 수 있으리라는 기대가 높다.

하지만 오지라 부르는 접경 지역은 타의로 군부대 중심의 생활을 꾸려 온 곳이고, 군부대가 떠나면 폐허만 남는다는 것을 직감하고 있다. 그나마 휴가 나가는 군인들 때문에 유지되던 군내 버스마저도 운영 시간이 줄어 주민들은 버스터미널에 하염없이 앉아 있어야 한다. 군인 자녀들이 다녀 유지되던 학교도 통폐합되어 아이들은 더 멀리 통학을 하거나 유학을 나가 동네는 더욱 쓸쓸해질 것이다. 바가지요금을 씌워 먹고살겠다는 뜻이 결코 아니다. '삶의 문제'가 남는 것이다.

산천어를 위하여

도시에서 나고 자란 아이들과 내 경험의 차이는 너무 커서 설명이 아예 안 되는 것들이 태반이다. 들판에서 메뚜기를 잡아 볶아 먹었다든가, 개구리 잡아 다리를 구워 먹었다든가 하는 이야기를 해 주면 엄마를 원시인쯤으로 생각하는 것 같다. 농촌에서 계절마다 잡아먹을 것들은 제각각이었다. 그중에서 하천에서 물고기를 잡거나 다슬기를 줍는 일은 여름, 겨울의 큰 놀이였다.

'얼음나라 화천 산천어축제'는 2003년에 처음 열릴 때는 화천군민 수만큼인 2만 명만 왔으면 했던 축제였다. 하지만 개최 첫해부터 22만 명 정도를 불러들였고, 2020년에는 184만 명을 강원도의 작은 고장 화천으로 불러들였다.

한때 '축제 공화국'이라 불릴 정도로 함량 미달의 지역 축제가 넘쳐 났던 때도 있었다. 연원을 따져 보면 1960년대 유신 시대 때부터 지역 축제는 있어 왔다. 춘향이나 논개, 이순신 등 국가 이념에 맞는 관변 축제를 만들어 관은 주도하고 주민은 동원되었다. 관 주도의 농촌 지역 축제는 풍물 장터와 연예인 공연을 하고 '특산물 아가씨' 선발 대회를 여는 식의 엇비슷한 내용이었다. 그러다 1995년 지방자치제가 부활하고 국정 지표에 '문화 진흥'이 등장하면서 지역 축제의 활성화를 중요한 정책으로 삼았다. 각 지자체마다 축제에 뛰어들었다. 대표적인 성공 사례로 '화천 산천어축제'와 '함평 나비축제', '보령 머드축제'를 꼽는다.

산천어는 1급수에 사는 담수어로, 화천이 산천어를 축제 테마로 내세운 것은 청정한 자연의 표상이기 때문이다. 산천어는 1970~1980년대까지만 해도 멸종 위기에 놓인 물고기였다. 열목어나 쉬리와 함께 자연 다큐의 주인공 역할을 종종 맡아 왔다. 1970년대부터 당시 수산청 주도로 양식을 시도했다. 이는 생태적 이유라기보다는 고급 식재료로 주목했기 때문이다. 1974년에는 관광 낚시터에 풀어놓기 위해 산천어와 송어를 교배해 '산천어 F1'이란 어종을 개발했고, 1990년대 들어서 본격 양식에 들어갔다. 화천 축제에 쓰인 산천어도 당연히 양식을 해서 풀어놓은 것이다.

산천어축제가 동물 학대와 생명 경시를 부추기는 일이라며 축제를 막아 달라는 청와대 청원이 올라왔다. 여러 환경 단체와 동물권 단체의 반대 성명도 이어졌다. 양측의 주장도 팽팽하게 부딪친다. 물고기 잡기가 '생명 경시'인지, '추억의 동심'인지로 갈린다. 축제의 규모가 개최 초기보다 훨씬 커졌고 관심도 높기 때문에 개선할 점이 분명 있고 새겨 들을 지적이다.

소싸움이나 천렵 같은 문화는 전통 농촌 사회에서는 전혀 문제 될 것이 없는 문화였다. 그런데 오로지 먹기 위한 고기로만 기르는 육식 문화와 동물 보호에 대한 관심이 높아지면서 별 문제가 되지 않았던 산천어축제와 같은 지역 축제가 문제가 되기 시작했다. 산천어축제의 동물 학대 고발 건에 대해 "산천어는 애초에 식용을 목적으로 양식되었기에 동물보호법에서 보호하는 동물로 보기는 어렵다"는 검찰의 결정이 나왔지만 갈등은 첨예해지고 있다. 세상이 변했고 이제 동물도 단순히 애완 대상이 아니라 반려, 그리고 비인간 존재라는 차원으로까지 보는 마당에 산천어축제와 같은 동물을 테마로 한 축제는 이런 논란을 끊임없이 불러일으킬 것이다.

다만 화천에서 산천어를 테마로 삼아 축제를 꾸렸던 이유가 무엇이었는지를 먼저 고민해 봐야 한다. 군사지역이라 '군인 상권'으로 먹고살아야 하지만, 남북 관계가 꼬이면 군인들의 외출이나 면회도 제한되고 지역 경제가 어려워진다. '평화의 댐'으로 대표적인 관광지였던 파로호가 마르면서 관광객도 줄어들었다.

산과 물, 공기, 추위가 고장의 자산인 이곳에서 산천어는 최선의 선택이었을 것이다. 농한기에 주민 일자리가 생기면서 소득에 실질적인 도움을 주고 농산물 판매로 이어지면서 이 축제는 화천군민들에게는 중요한 행사가 된 것이다. 이에 더해 참여 주민들의 지역에 대한 자부심도 높아졌다는 연구도 나와 있다. 사람의 일은 복잡다단하다. 꼭 돈 때문만은 아니다.

농촌에서 농사만 지어서 먹고살기 힘들다. 오래전부터 '향토 축제'란 이름으로 축제를 부추긴 이유는 뭐라도 해 보란 뜻이었다. 나비도 길러서 날리고 산천어도 길러 얼음 강물에 풀 수밖에 없던 속사정이 풀리지 않는다면, 결국 어디에서든 또 잡고 먹고 할 것이다.

플리즈,
농민을 기다려 주오

폭염이어서 딱 하나 좋은 건 모기가 덜하다는 것. 그러면 여느 해보다 농작물 병해충도 덜하면 좋을 텐데, 이런 날씨 좋아하는 벌레들이 있다. 이름은 예쁘지만 행실은 못된 미국선녀벌레는 포도, 감, 복숭아 나무에 붙어 수액을 빨아 먹고 나무를 바짝 말려 놓는다. 기록적인 폭염에 선녀벌레나 꽃매미 같은 돌발외래해충 창궐 가능성이 높아 방제 당국이 드론 방제를 하는 중이다. 먹거리의 세계화는 해충과 동물 전염병의 세계화이기도 하다.

살충제 계란 사태가 휩쓸고 간 뒤 비펜트린이나 피프로닐 같은 어려운 화학 용어에도 제법 익숙해졌다. 비펜트린 성분의 경우 양계에도 허용된 살충제이고 농업에 광범위하게 쓰인다. '다이다이', '직격탄' 같은 이름표를 달고 있다. 제초제 이름 중에는 '풀초상'이나 '확타' 같은 이름들이 유난히 많다. 복잡한 화학 용어 대신에 농약 소비자인 고령의 농민들이 금방 용도를 알아보고 기억하기 쉽도록 이름을 짓는다.

농약은 현대 농업의 필요악이다. 노동력을 줄이고 생산량을 늘려 농산물의 가격을 낮게 유지시키지만 그 대가도 크다. 토양과 하천 오염, 무엇보다 생산자들의 건강을 위협한다. 소비자들의 농약에 대한 만성적인 불안도 남았다. 농약은 병해충 방제부터 종자와 토양 소독, 생육의 촉진과 억제, 착색까지 농사 전반에 쓰인다. 텃밭 경험이 있는 사람들은 농약과 비료 없이 농사를 짓는 일이 어떤 일인지 잘 알 것이다. 시작은 창대하나 끝은 미미한 일. 벌레 먹고 못생기고 크기도 작은 수확물이 그 실체다. 하지만 시장에 내놓는 농산물이야 상품이니 그럴 수 없다. 당연히 농약과 비료의 힘을 빌려야만 한다. 싼값에 예쁜 걸 먹자면 그렇다.

농약에 대한 소비자 불안이 높아지자 정부는 '농약허용물질목록 관리제도'Positive List System, 이른바 'PLS'를 2019년 1월 1일부터 시행하겠다고 생산자들에게 통보를 했다. PLS는 벼, 토마토, 고추 등 작목별 등록 농약만을 사용해야 한다. 해당 작물에 등록되지 않은 농약은 일률적으로 0.01ppm까지만 허용한다. 0.01ppm은 국제 표준 수영장에 잉크 한 스푼 반을 희석한 양이다. 사실상 사용 금지 조항이다. 문제는 실제로 농약을 다뤄야 하는 농민들이 아직 숙지도 하지 못한 상태인 데다 제대로 지킬 수도 없을 것 같아서다.

농토가 좁은 우리나라는 윤작과 간작을 많이 한다. 마늘에 쓰는 농약과 벼에 쓰는 농약이 다르지만 같은 논에서 기르기 때문에 약제 혼용이 일어날 수밖에 없다. 그리고 작은 면적에 심는 소수의 희귀 작물은 아직 사용 가능 농약 목록도 정해져 있지 않다. 인삼처럼 4년 이상 기르는 장기 재배 작물의 경우 PLS 시행 이전에 쓴 농약이 검출될 수도 있다. 또 항공방제는 필연적으로 농지에 광범위하게 영향을 주기 때문에 비의도적 농약 검출에 대한 확실한 대책도 없다.

특히 인근 농장에서 뿌리는 농약이 다른 농장에도 흩날리는 비산 농약 관련 갈등은 농촌에서 심심찮게 일어난다. 친환경 농가의 경우 주기적으로 잔류 농약 검사를 하는데 해당 농가가 뿌리지 않는 농약이 검출되어 친환경 인증이 취소되는 경우도 있다. 특히 노지 재배의 경우에는 대책이 없다고 농민들은 하소연한다. 최근에는 드론 방제가 이루어지면서 비산 농약 문제는 농촌에서 더욱 첨예한 문제이다. 내가 뿌리지도 않은 농약이 내 작물에서 0.01밀리그램이라도 발견되면 출하를 할 수 없는 것은 물론 벌점도 누적되기 때문이다.

이에 '농약피해분쟁조정위원회'가 2021년 농림축산식품부에 설치되었다. 하지만 작은 농촌마을에서 서로 얼굴 다 아는 처지에 분쟁위까지 간다는 것이 말처럼 쉽지 않다. 동네에서 서로 얼굴을 붉히고 살겠다는 결심을 세우지 않는 이상 어려운 일이다. 정부는 누누이 농약의 안전성을 강조하면서도 소비자들을 안심시킨다는 미명 하에 극소량의 농약이 검출되는 것조차 심판대 위에 올려놓겠다는 것도 모순일 뿐이다.

권력은 소비자들에게서 나오기 때문일까. 아무리 그래도 농약을 직접 다뤄야 하는 생산자들에 대한 대책은 너무도 미비하다. 농약 잔류량 검사를 해서 농민들을 줄줄이 사탕처럼 엮어 범죄자 만들기는 더 쉬워졌다. 농약을 뿌리지도 않았는데 잔류 검사에 걸려들어 친환경 인증 취소를 겪은 농민들의 사례를 들어보길 바란다. PLS는 영어로 Please, '제발'이란 뜻의 약자이기도 하다. 정부는 농민들의 이야기를 들어 달라. PLS!

계란 미션 임파서블

예전보다는 못해도 명절 대목은 농업에서 중요하다. 계란 시장의 최대 대목도 명절이다. 과채 생산은 날씨가 좌지우지하지만 계란 생산은 닭이 좌지우지한다. 인간들의 명절이라고 닭이 더 많이 낳겠노라 결심할 것도 아니기 때문에 명절을 앞두고 물량 조절을 해 왔고, 별 문제가 없었다. 계란은 신선식품 중에서도 유통기한이 긴 농산물이어서 냉장 상태에서는 통상 한 달 정도 보관이 가능하고 40일 정도까지도 가능하다. 섭씨 5도를 유지하면 6개월까지도 선도를 유지할 수 있다.

2017년 8월, 계란에 살충제 성분이 기준치보다 높게 나오면서 계란 파동을 겪었다. 양계 농민들 입장에서 억울함도 많았지만 일단 이 사태를 견뎌 왔다. 정부는 이에 대한 대책으로 동물복

지형 축산 전환, 살충제 검사 확대 및 처벌 강화, 산란일자 표시 등의 '식품안전개선 종합대책'을 발표했다. 식품 파동이 나면 대체로 들끓는 여론 때문에 소비자의 알 권리를 강화하는 방향으로 정책은 만들어지곤 한다. 식품안전개선 종합대책 중에서 양계 생산자들을 당혹스럽게 하는 것은 '산란일자 의무표시제'이다. 6개월의 짧은 계도 기간을 거쳐 2019년 8월 23일부터 난각에 산란일자 표시 의무화가 전격 실시됐다. 법으로 정해졌으니 이제 지키지 않으면 3년 이하의 징역 또는 3천만 원 이하의 벌금형에 처해진다.

2018년 5월 21일 전남 나주의 산란계 농가에서 생산한 계란에서 피프로닐 성분이 발견되면서 전량 회수 폐기 조치를 하고 출하 정지를 시켰다. 4만 수 정도의 농가이니 크지 않은 규모다. 2017년에 워낙 살충제 계란 사태로 홍역을 치른 탓인지 수장도 없었던 농식품부가 그래도 사전 조치를 취하기 위해 애쓰는 것 같았다. 언론과 소비자 단체들은 또 다시 어떻게 살충제를 뿌려댔느냐며 신나게 물어뜯었지만 말이다.

2017년 살충제 계란 사태를 복기해 보면 전체 적발 농가가 쉰두 곳이었다. 기준에 없던 성분인 피프로닐이 발견된 농가는 그중에서 여덟 농가였다. 나머지 농가는 허용 살충제 성분이었지만 기준치를 넘긴 사례이다. 그만큼 사육 환경이 좋지 않았기 때문에 약을 점점 진하게 썼다는 뜻이다. 내성 문제도 있어서 약을 이리저리 돌려 써 보다가 무슨 성분인지도 모르고 쓴 경우도 많다. 심지어 지자체에서 권장해서 쓴 경우도 있었으니 사연은 복잡하다. 사료에서 유입된 건지, 계분 소독을 하다가 그리 됐는지 원인조차 특정하기 어려운 경우도 있었지만 여론의 치도곤 때문에 일단 머리 조아리고 넘어가고 말았다.

피프로닐 성분의 경우 짧게는 6개월에서 길게는 3년 넘도록 계사에 악착같이 남아 닭에게 영향을 미치는 것으로 알려져 있다. 단속 이후에 뿌리지 않았더라도 피프로닐 성분이 계사에 남아 있다면 검출될 공산이 크다 보니, 2018년 봄부터 대책을 세우기는 했다. 농식품부의 '산란계 농장 환경개선 지원사업 추진 계획'의 주요 계획은 피프로닐 성분 제거 지원이다. 계사 청소를 하는 방법도 알려 주고, 5만 수 이하의 양계 농장에는 국비 지원 계획을 세우고 각 지자체 지원도 독려하고 있는 상황이다.

하지만 닭이 꽉 들어차 있는 계사 청소는 쉽지 않다. 알을 더 이상 낳지 않은 노계 도태 시기에 닭을 빼내고 하면 좋긴 하지만 농장마다 사정이 다르다. 닭이 꽉 들어차 있는 계사에는 분무기로 조심스럽게 뿌리고 키친타올로 일일이 닦아 내고 소각하라는 지침이 내려왔다. 권장 세제는 청소전문업체나 식당에서 찌든 때를 제거하는 데 쓰는 강력 세제이고, 강알칼리이므로 피부에 닿지 말아야 한다는 주의 사항을 농식품부에서도 알려 주고 있다. 일반 세제로는 도저히 제거가 안 되기 때문이다. 맹물로는 헹궈지지 않고 그래서 헹굼제까지 따로 개비해 세척액 성분을 제거해야 한다. 게다가 살충제 성분이 기준치에 부합할 때까지 반복적으로 청소를 해야 하는데, 농장의 형편이 받쳐 주지 않는다. 그래서 전문 청소업체에 맡기는 방법까지 정부가 고민하는 중이다. 하지만 5만 마리 이상 사육하는 35퍼센트의 농가는 지원비도 없다. 소독제도 사야 하고 인력도 부려야 하니 비용이 발생한다. 계란 값은 바닥을 찍고 있는데 말이다. 들리는 소식에는 대형 양계장의 경우 기천만 원은 우습게 청소비로 나갈 수도 있다. 이제 살충제 성분을 없애는 청소 작업과 닭진드기를 잡기 위해 살충제를 살포해야 하는 이중고가 생긴 것이다. 말이야 옳아서 사육 환경 개선이 근본적인 대책이라고는 하지만, 생산비에 턱없이 모자라는 판매 비용을 벌충할 방법은 사육 두수를 늘리는 것뿐이다.

소비자의 이름으로 우리는 생산자들에게 싸고, 안전하고, 맛있게 만들어 내라며 불가능에의 도전을 요구하는 중이다.

들판의 공룡알

'가을걷이가 끝나고 난 뒤의 빈 들판'이란 말은 이제 들어맞지 않는다. 농촌에서는 '공룡알'이라고도 부르고 도시 사람들은 '마시멜로우'라고도 부른다. 논바닥 위에 놓여 있는 커다란 흰 덩어리를 부르는 별명들인데, 빈 들판 곳곳에 있는 그것은 '볏짚 곤포 사일리지'이다. 트랙터에 곤포 사일리지 기계를 달아, 추수하고 남은 볏짚을 말아서 덩어리로 만들고 발효액을 적절하게 뿌린다. 그리고 비닐로 단단하게 감아 숙성시켜서 소의 사료로 만드는 것이다.

볏짚 한 덩어리가 작은 것은 200킬로그램에서 500킬로그램 정도인데, 500킬로그램 한 덩어리가 5만 원 선에서 거래되니 알뜰살뜰 볏짚을 모아서 공룡알을 만들어 낸다. 곤포 사일리지는 소가 먹는 겨울 김장이라고 보면 얼추 의미가 맞을 것이다. 예전 같으면 농촌에 잔뜩 쌓아 놓았던 볏단 더미가 이제 저렇게 비닐에 말려 논바닥 위에서 농촌의 겨울 풍경을 완성하고 있는 것이다.

우리가 먹는 최고 등급의 쇠고기는 마블링이 얼마나 골고루 퍼져서 부드러운 맛을 주느냐에 따라 등급이 갈린다. 마블링이란 것은 결국 많이 먹고 덜 움직여서 몸에 지방질을 쌓는 과정이다. 그런데 풀만 먹여서는 마블링이 잘 안 만들어지니 에너지가 많은 곡물 사료를 먹여야만 한다.

사료는 크게 농후사료와 조사료로 나눈다. 농후사료는 말 그대로 '농후하게' 사료에 영양을 강화하는 과정을 거친 사료다. 여기에서 가장 중요한 것은 단백질 성분이다. 아무래도 고기와 젖을 만들어 내는 일이니 단백질 성분이 그만큼 중요하다고 할 수 있다. 곡물을 주요 원료로 한 농후사료를 먹으며 동물들은 엄청난 에너지를 축적한다. 게다가 쟁기질을 할 일도 없고 산책을 따로 할 상황도 아니니, 움직일 일이 없는 것이 가축들의 처지다. 그래서 켜켜이 기름이 쌓여 우리에게 기름진 고깃덩이로 다가온다.

하지만 동물도 사람과 마찬가지로 꼭 필요한 것이 섬유질이다. 현대인에게 필수라는 섬유소는 원활한 배변 활동을 위해 가축들에게도 꼭 필요하다. 특히 소와 같은 반추동물은 본래 풀을 먹고 오래도록 되새김질하면서 거친 섬유질을 소화시키는 데 공력을 쏟는 동물이다. 그래서 가축들에게도 거친 사료, 혹은 조사료 급여가 반드시 있어야 한다. 조사료의 '조粗'는 거칠다는 뜻이다. 본래 벼와 여러 작물에서 곡물을 걷어 내고 남은 짚은 겨우내 소의 중요한 먹잇감이었다. 작두로 볏짚을 썰어, 훑은 콩깍지, 왕겨 가루, 콩가루 등을 잘 섞어 쇠죽을 쑤어 먹이곤 했다. 하지만 이제 축산의 규모가 엄청나게 커져서 자가 생산 사료로는 감당할 수 없고 시판용 사료로 가축들을 먹인다. 그러니 우리가 먹는 것은 '사료의 육화 형태'인 고기일 뿐.

사료가 흔해지니 당연히 가축들도 늘어난다. 이 뜻은 사료의 주요 원료인 옥수수와 콩 재배가 세계적으로 엄청 늘어났단 뜻이다. 국토가 좁은 우리나라에서 사료 자급은 쉽지 않고, 사람들은 고기를 탐하다 보니 당연히 사료용 곡물을 수입해서 고기를 길러 낸다.

부업으로 축산을 하던 시대에는 '쇠꼴'이라 하여 풀과 농업 부산물로 소 한두 마리 정도를 키웠다. 그때는 조사료 비율이 농후사료보다 훨씬 더 높았지만 지금은 그 반대로 농후사료의 비율이 훨씬 더 높다. 볏짚은 농가의 중요한 살림 밑천이기도 했다. 볏짚으로 이엉을 엮어 초가집 지붕을 이고, 가마니나 바구니를 짜서 생활 도구로 쓰거나 내다 팔아 가욋돈을 벌어들였다. 무엇보다 겨우내 소의 중요한 먹이이기 때문에 자기 땅뙈기가 없으면 볏짚을 가지지 못해 살림이 더욱 빈한해진다.

이제 쌀 대신 먹을 것들이 지천인지라, 1인당 연간 쌀 소비량이 채 60킬로그램도 되지 않는다. 2020년 통계에서는 국민 1인당 계란은 264개, 고기는 51.3킬로그램, 유제품은 77킬로그램을 먹으니, 쌀보다 고기를 더 먹는 세상이다. 그래서 아예 처음부터 소 먹이는 사료용 쌀인 총체벼를 정부에서 권장하기까지 한다.

인간은 쌀을 먹고 볏짚은 소가 먹는 것이 순리였던 시절이 이제 끝이 나고 있다. 공룡도 멸종된 지 오래되었는데, 들판의 '공룡알'도 멸종할 날이 끝내 오고야 말까.

대추의 운명

약방에는 감초, 냉동실엔 대추다. 제사 지내고 아무도 손대지 않는 대추를 챙겨 와 쓴다. 대개는 닭 삶아 먹을 때 몇 알 던져 넣는 용도다. 없으면 아쉽지만 일부러 사러 나갈 일은 드문 대추. 햇대추를 맛볼 때가 지금이다. 풋대추에 가깝지만 대체로 추석 차례에 올릴 용도로 나온다. 요즘은 '사과대추'라 하여 아기 주먹만 한 대추가 과일용으로 나온다. 그래도 여전히 일상에서 많이 찾는 과일은 아니다.

대추는 분류상 농산물이 아니라 임산물이다. 임산물의 대표적인 품목은 목재이고, 단기 소득 임산물 중에는 버섯과 산나물 등이 있다. 그중 밤, 감, 잣, 호두, 대추가 수실류 임산물의 대표 선수다. 산림청 주도로 '임업 및 산촌 진흥촉진'을 목적으로 단기 소득 임산물의 경우 작목반을 꾸리거나 저장, 가공시설과 유통을 지원한다고는 하지만, 체계가 잘 갖춰져 있는 것 같진 않다. 산이 많은 한국에서는 농촌과 산촌의 구분이 뚜렷하지 않고, '산골'에 살면서 농사도 짓고 철 따라 나물이나 버섯도 따고 밤나무나 대추나무도 몇 주 가꾼다. 전업화가 이루어진 영역은 아니다.

명절을 맞아 대추 경락가가 궁금해서 농산물 유통 정보 사이트에 접속했지만 찾을 수가 없었다. 의아해서 보니 임산물 가격 정보에 접속해서 따로 알아봐야 하는데, 가격 추이가 눈에 확 들어오지는 않는다. 연유를 찾아보니 임산물이란 것이 워낙 철에 따라 수요가 몰리기도 하고 유통 체계가 잡혀 있지 않아서이다. 그래서 농산물 경매 단계까지도 오지 않는 경우가 많다 한다. 대추 최대 주산지인 충북 보은군과 경북 경산시 같은 몇몇 주산지에서만 계통출하가 이루어지는 정도이고, 알음알음 알아서 팔고 있는 셈이다. 오픈마켓에 들어가 햇대추 가격을 찾아보니 값도 제각각이다. 농가에 문의해 보니 해걸이로 적게 나오면 비싸고 많이 나오면 싸다며 소득에 큰 보탬이 되지 않는다고 한다.

통계로 보아도 지난 몇 년 대추 생산량이 많이 줄었는데도 가격은 생산비에도 미치지 못한다. 여러 이유가 있겠으나 대추를 소비할 사람이 많이 줄어서다. 제상에 '조율이시'로 소환되고 떡집이나 가공식품에 웃기로 올라가는 것은 죄다 수입산이다. 하긴 차례상 물리고 햇대추라고 몇 알 씹어 보는 건 나뿐이고 아이들에게 먹어 보라 하니 도리질이다. 건대추면 닭 삶을 때라도 써먹을 텐데 풋대추는 몇 알 먹고는 이리저리 굴러다니다 볼품없이 메말라 쓰레기통으로 들어가곤 한다.

명절 풍경도 많이 달라지고 있다. 차례나 제사도 많이 사라지는 추세다. 차례상은 생전에 고인이 즐겼던 음식을 간소하게 차려 기리는 마음이 더 중하다고 하는데 백번 맞는 말이다. 그러면 대추의 운명은 어찌 될까. “제사 없으면 과수 농가는 망한다”는 농민들의 농담 같은 푸념도 영 근거가 없진 않다. 명절 전후로 과일 수요가 몰려 억지로 크게 키우느라 부작용도 있지만 또 그마저도 아니면 제값 받고 팔아 볼 기회마저 잃는다.

아파트 정원수로 심어 놓은 대추나무를 신기한 듯 바라보니 경비 아저씨가 외려 신기한 듯 날 쳐다본다. 대추가 열리든 말든 노인들 말고는 새댁들은 거들떠도 안 본다며 말이다. 정원수 소독을 했으니 절대 먹지 말라신다. 경비 아저씨의 식품 안전 지도를 받는 동안에도 난 진심으로 대추나무 걱정을 했다. 우리 아이들은 저 대추나무를 알아볼 수 있을까. 대추를 먹어 본 기억이 있어야 훗날에도 먹을 텐데. 이유 없이 사라지는 것은 없다. 다만 소멸의 이유가 서글플 뿐이다.

'고히 잠드소서'

내가 딱 한 번 독종 소리를 들었던 것은 2014년이다. 책을 탈고했을 때이다. 2014년 4월 16일 세월호 사건(아직도 내게는 '사건'이다. 참사라 규정을 지으려니 무엇 하나 규명된 것이 없으니 말이다)을 목도하면서 동료들이 모두 무너졌다. 출판사들에는 예정된 원고들이 밀린다고 했다. 글을 쓰지 않는 것이 아니라 쓰지 못하는 상황이 된 것이다. 당시 『대한민국 치킨전』 초고를 퇴고하던 때였는데 며칠 끙끙 앓았다. 동네의 상가가 말 그대로 '상가喪家'가 되었다. 고깃집에서 삼겹살을 굽는 것도 치맥을 먹는 것도 모두 죄스러운 나날이었다.

　보름 정도 원고를 들춰 보지도 못한 채 텔레비전에 눈을 박다시피 했다. 어떤 소식을 기다려야 하는지도 모르면서 그냥 소식을 기다리고 있었다. 팽목항 현장에서 교육부 장관이 치킨을 시켜 먹었다가 지금 치킨이 목으로 넘어가느냐, 라는 거센 비판을 받았다. 그런데 정작 나는 치킨으로 글을 쓰고 있었으니 말해 무엇하랴.

배가 침몰하고 열흘이 훨씬 지난 4월 어느 날, 희생 학생들의 생환을 기대할 수 없는 완벽한 죽음의 시간이 왔다. 그때 팽목항에 차려져 있는 치킨과 피자 사진을 보았다. 그 또래의 청소년들이 가장 좋아하는 음식이 치킨과 피자였고 내 아이들도 좋아하는 음식들이다. 그래서 울면서 세월호 이야기를 책에 남겨 두었다. 할 수 있는 일이 이것뿐이라는 것도 기막혔지만, 그래도 애써 적어 죽음을 기억하고자 했다. 7년이 지난 지금까지 세월호의 그 어떤 심연도 우리는 알지 못한다. 배가 가라앉았고, 제대로 구조하지 않았으며, 309명 귀한 이웃들의 생명을 잃었다는 것, 그 가족들은 여전히 길 위에서 절규하고 있다는 차가운 사실만 알 뿐이다.

그 이전에 용산 참사가, 그 이전에는 대구 지하철 참사가, 그 전에는 삼풍백화점과 성수대교 붕괴가 있었다. 그러나 이 죽음들은 충분히 기억되지 못하고 재빨리 치워졌다. 무너진 삼풍백화점 자리에 작은 추모비조차 세우지 못하고 사람들 발길이 닿기도 어려운 궁벽한 곳으로 쫓겨났다. 이 자리에서 사람이 죽었음을 떠올리는 것만으로도 사람들이 소름 끼쳐 하고 기분 나빠

한다는 이유다. 하지만 솔직한 속내는 따로 있다. 사람들이 죽어 나간 자리는 서울 강남 서초구. 한국에서 가장 비싼 땅에 사람이 죽은 자리라 표시하면 부동산 값이 떨어진다는 이유였다. 용산 참사가 일어났던 남일당 건물 자리에는 초고층 주상복합건물이 들어섰다. 나무 몇 그루를 심어 죽음을 애도하려 했지만 그마저도 거부당했다. 대구 지하철 참사가 일어난 대구 중앙로에도 추념의 표식이 없다. 팔공산으로 쫓겨 가 '대구시민안전테마파크'라는 격에 맞지 않는 이름표를 달고 있다. 어떻게 죽음이 테마가 되어 파크로 조성될 수 있단 말인가.

경기도 여주시에 종종 들를 일이 있었다. 그때마다 여주의 최대 관광지인 신륵사와 여강(여주 남한강) 산책을 종종 한다. 산속이 아니라 세속에 가깝게 있는 신륵사는 경기도권 학생들의 소풍 장소이기도 하다. 도자기와 참빗, 나무 주걱, 등긁이 같은 민예품점과 도토리묵과 막걸리를 파는 식당들이 즐비한 전형적인 관광지이다. 남한강 주변은 산책과 운동을 하기 좋아 여주 시민들이 자주 찾는 곳이기도 하다. 이곳 강가에 작은 위령비가 세워져 있다.

1963년 10월 23일에 안양 흥안국민학교(현 안양남초등학교)의 5, 6학년생들과 교사, 학부모 총 158명이 여주 신륵사로 수학여행을 왔다. 조포나루터에서 나룻배를 타고 강을 건너서 귀가하던 중 배가 기울어 무려 49명의 귀한 생명을 잃는 참사가 있었다. 정원보다 두 배가 넘는 사람들을 태웠기 때문이다. 가난을 벗어나지 못한 시절, 햅쌀을 팔아 수학여행을 보내 달라 부모를 졸라서 온 아이들이 태반이었다. 일기장에 신륵사 구경에 설레는 마음을 적어 두기도 하고, 동생에게 줄 캐러멜이 담긴 가방과 함께 시신으로 발견된 소녀의 이야기는 지금 읽어도 목이 멘다. 살아 있었다면 칠순을 넘었을 '아이들'이다. 이들을 잊지 않고 동문들은 2006년에 참사 현장에 위령비를 세웠다. 나이 지긋한 동창들이 세웠을 위령비에는 '고히 잠드소서'라 적혀 있다. 맞춤법에 맞지는 않지만 오히려 더 마음이 간다. 한 글자 한 글자 백발이 성성해진 친구들이 적었을 말씨가 심금을 울린다.

가끔 위령비에는 누군가가 꽃다발을 갖다 놓기도 한다. 60년이 다 되어가도 이들을 잊지 않은 가족이나 친구들의 마음이 느껴져서 슬프기도 하고 기쁘기도 했다. 혹시 누나가 가져다주마 약속한 캐러멜의 당사자가 다녀간 것은 아닐까 생각하며 나도 모르게 눈물이 흐르기도 했다. 오고 갈 때마다 이 위령비의 비문을 읽는다. 그리고 짧은 묵념을 올리면서 늘 생각했다. 이렇게 살아남아 '아이들'에서 '어른들'이 된 나는 어떻게 살아야 할까. 흐르는 강물을 보면서 상념에 잠겨 본다.

아름다운 남한강가의 흥안국민학교 희생자 위령비를 두고 혐오나 공포를 느끼지 않는다. 거긴 비싼 강남 땅이 아니지 않느냐 따진다면 그냥 입을 닫겠다. 그 누구도 자신이 죽을 자리를 선택하지 못한다. 그곳이 백화점이든 강가이든 한강 다리 위든.

세월호의 추모공원은 안산 시내 화랑공원에 조성될 예정이다. 아직은 예정이어서 여러 변수에 휘말릴 위험이 있다. 시민들이 애용하는 공간을 납골당으로 만드는 일이라 반대하는 목소리도 높다. 뼈 한 조각 묻지 않는 납골당이 세상에 어디 있단 말인가. 테마파크라 이름 짓는 것만큼 졸렬하다. 죽음을 왜 치워 버리려 하는가. 죽음은 쓰레기가 아니다. 죽음이 죄인가. 죽음이 죄가 아니라, 무고한 죽음을 일으키고 진실을 덮어 버리는 자들이 죄인이다. 가해자의 여죄를 제대로 따져 묻지 않고 진실 속에 묻어 버린 결과가 지금도 반복되는 황망한 죽음들의 실체이다. 일터에서 배움터에서 죽은 이들을 애써 기억하며 애도를 보낸다. 부디 '고히 잠드소서'.

‘남양주지옥분식 통신’

이곳저곳 떠돌다 다시 남양주에 자리를 잡았다. 자리를 잡았다는 말도 딱히 맞아떨어지지는 않는다. 아파트 전세를 얻어서 살고 있으니 수도권 부동산 상황에 따라서 또 어디로 떠돌아야 할지 알 수 없다. 이 동네에서 다시 살기 시작한 지 채 십 년이 되지 않았건만, 동네는 다시 상전벽해의 시간을 뚫고 지나가는 중이다. 더 이상 수도권이 늘어날 수 있을까 싶은데도 꾸역꾸역 아파트는 올라온다. 신도시 지정과 전철 공사가 예정되어 있는 이 동네는 매일 여기저기 뜯어내고 다시 세우느라 내내 공사 중인 상태다. 나는 이 동네의 완성본을 볼 수는 있을까?

지금 살고 있는 아파트는 공장터와 농지를 합쳐서 만든 대단지 아파트이다. 사람과 자연에 치명적인 가스인 이황화탄소를 뿜어내어 사람들이 죽어 나간 '원진레이온'의 공장 터다. 원진레이온이 한참 가동 중일 때 부모님은 인근에서 시설재배 농사를 지었다. 서울은 만원이고 사람들은 서울 인근에라도 악착같이 붙어 있었다. 그리고 아파트에 살기를 앙망하니, 언젠가는 아파트가 올라올 땅이라는 것을 모두 알고 있었다. 대체로 땅 주인들은 외지에 거주하는 지주들이었다. 우리 집과 이웃 농가들 대부분이 땅은 갖지 못하고 남의 땅을 부치기만 하는 임차농이었다. 지가가 높은 수도권 인근에서 농사를 지으려면 부가가치가 높은 작물이어야 했고 회전율이 좋은 품목을 선택해야 했다. 우리 동네는 토마토와 오이, 호텔이나 양식당으로 들어가는 샐러리나 양상추 같은 양채류 농사가 많았다.

우리 집의 주요 작물은 토마토였다. 여름에 토마토를 출하하고 앞뒤로 두어 번 정도 상추나 근대, 쑥갓 등속을 길렀다. 그렇게 나는 '도마도 집' 딸이 되었다. 1990년대 초반, 토마토를 따러 오는 할머니들의 말투는 북방의 말투였다. 동료들과 함께 나누는 말은 중국말이었다. 소위 '조선족'들이 들어와 농사를 비롯해 식당일 같은 저임금 노동을 메워 가는 것이 눈에 보였다.

남양주에는 동남아시아 노동자들의 최대 집결지인 마석가구단지가 있다. 1990년대 초반부터 이 지역에서 이주민들을 만나는 일은 익숙한 일이었다. 이제 농촌에서는 농업 이주노동자들 만나는 일이 어린아이 보는 일보다 더 쉽다. 순대를 만들거나 생선을 잡아 올리는 험한 일도 이주노동자들이 떠맡고 있다. 한참 전부터 한국 먹거리를 책임지는 이들은 외국인 이주노동자들이다.

시설재배 농업은 축산업과 더불어 가장 고된 농사일이다. 비닐하우스 안은 자연보다는 인공에 가까운 작업장이다. 동네 인근에 농업용 저수지도 없어 물을 댈 수도 없고 비를 맞을 수도 없으니 지하 관정을 뚫어 물을 끌어 올려야 했다. 차단 시설이라 벌과 나비가 날아들지 못하니 토마토나 딸기 같은 과채는 인공수분의 과정을 거쳐야 한다. 그래도 비닐하우스는 겨울에도 농사를 지을 수 있으니 회전율로 소득을 보전할 수 있는 농사법이었다. 우리 집은 농사는 지었지만 농촌 생활을 한 것이 아니다. 그저 차단된 비닐하우스 안에 들어가서 가격이 맞으면 악착같이 수확하고 가격이 형편없으면 제초제를 뿌려 갈아엎기를 반복했다. 우리 동네 바깥에는 원진레이온에서 뿜어내는 가스가 있었고 하우스 안에는 독한 농약의 연무가 자욱했으니, 부모님 건강은 농사를 지으면서 많이 상했고 어머니는 병을 얻어 세상을 떠났다.

'농자천하지대본' 같은 말들은 이명처럼 귀에서 뭉개지곤 했다. 내게는 그저 '농자천한자'로 들렸다. 농사는 천한 자들이 짓는 일이었다. '밥은 하늘'이라며 치켜세우기도 하지만 어디 세상이 그러했나. 시장 자본주의 사회에서 귀한 일은 비싼 급료를 받는 일이고, 헐값을 받는 일은 천한 일일뿐이다. 농업이 그렇고 배달 일이 그렇다. 귀한 일이었다면 자식에게 물려주려 했을 것이다. 하지만 부모님은 공부를 해서 농사는 짓지 말고 살기를 간절히 바랐고, 나는 그 바람만큼은 충실하게 따랐다.

그렇게 '도마도 집' 딸은 토마토 농사는 짓지 않고 '도마도 농사'를 짓는 이들을 관찰하는 농촌사회학 연구자가 되었다. 농사는 짓기 싫었지만 내가 아는 세계가 농업과 농촌, 그리고 후미진 변두리의 생활뿐이어서 어쩔 수 없이 보고 적는 일이 동네의 일이었다.

연구와 취재의 범위도 좁았다. 때로는 넓힐 필요도 없었다. 삼촌지간들은 여전히 농사를 짓고 있었고, 고향을 떠나온 친인척들 다수가 도시의 영세 소상공인으로 살고 있었다. 궁금하면 그냥 농민들에게 전화를 해서 물어보거나 동네를 걸었을 뿐이다. 그렇다 보니, 싸고 안전하고 맛있고 심지어 예쁘기까지 한 농산물을 원하는 도시민들의 시선이 얄미웠다. 안전하고 좋은 음식은 입에 넣어야 하지만 세금이 농촌으로 흘러들어가는 일만큼은 부당하다 여기는 사람들에 대한 얄미움도 숨기지 못했다. 아파트 값은 올라도 배춧값은 절대 오르면 안 된다는 헛소동에 관한 빈정거림도 감출 수가 없었다. '도마도 집' 딸의 심정이 그대로 반영된 것이니 너무 미워하지 않기를 바랄 뿐이다.

이곳 남양주로 돌아왔을 때 생필품을 팔던 작은 점방들은 모두 사라지기 시작했다. 작은 땅뙈기를 부쳐 도지를 꼬박꼬박 내는 임차농처럼, 많은 이들이 아파트 상가에 가게를 얻어 국수도 팔고 치킨도 팔고 있었다. 어떤 매체에서는 나를 한국의 농촌 문제에 천착한 연구자로 소개를 하기도 했다. 하지만 이는 천착의 기록이 아니라 그저 보고 살아온 만큼만 쓴 기록에 가깝다. 경험이 앞서는 글들이었고, 그 경험에 근거가 있나 싶어 논문이나 자료를 찾아보면 대체로 맞아떨어질 때가 많았다.

이촌향도의 물결을 따라 대도시로 떠나온 사람들은 대체 어떻게 살고 있을까 궁금했다. 출퇴근 시간이 정해져 있고, 보너스도 분기별로 지급되고, 무엇보다 직장보험이 되는 그런 일자리는 늘 부족했다. 농촌에서 중학교만 마치고 올라온 사촌 언니는 도급제로 임금을 받는 작은 사탕 공장이나 봉제 공장을 전전했다. 그런 사촌 언니와 같은 이들은 자영업자가 되었거나 비정규직과 일용직으로 여전히 전전, 아니 전전긍긍하고 있다. 1984년 포장마차의 주인들을 연구한 사회학 논문*에서 보면, 당시 농촌에서 떠나온 농민들이 주변적이며 비공식 부분의 경제활동인 '포장마차'와 같은 부문에 종사하고 있었다. 농촌을 떠나와서도 제대로 된 임금노동 부문에 합류하지 못하고 '비임금근로자'로

* 박선영, 「도시 소규모 경제활동에 관한 연구 — 자영소상품 생산의 사례 연구」, 이화여대 사회학과 석사논문, 1984.

분류되는 자영업자의 삶을 살았던 것이다. 공교롭게도 농민 또한 직업 분류상 자영업자이다.

코로나19의 광풍이 휩쓸고 지나가는 이 자리에서 가장 큰 고통을 겪고 있는 이들은 한국의 자영업자들이다. OECD 국가들 중에서 가장 많은 자영업자가 있는 한국은 인구의 4분의 1 정도가 근로는 하되 임금은 알아서 만들어 내야 하는 사람들이다. 그 고통의 심연에는 농촌의 고통이 그대로 이어지고 있다는 확신 때문에 내게 자영업 문제는 농촌의 문제이다. 그래서 지겨우리만치 농촌·농업·농민 문제와 더불어 자영업자 문제에 천착, 아니 집착하며 글을 써 왔다.

여기에 한국에서 여성이자 일하는 엄마로 살아가는 곤곤한 흔적이 남았다. 수도권의 작은 전세 아파트에서 내 작업 공간은 식탁이다. 식탁에서 밥도 먹고 일도 하다, 어느 날 양은 밥상에 밥을 차려 먹기 시작했다. 그 밥상 사진들을 재미 삼아 SNS에 올렸다. 이름하여 '남양주지옥분식 통신'이었다. 밥상 차리고 치우는 일이 매번 즐겁지도 않고, 농업부터 유통, 폐기까지 우리 밥상이 천국보다는 지옥에 가까운 밥상이지 않나 싶어서 갖다 붙인 제목이었다. '천국'이란 말을 붙인 모 분식집 이름을 비틀어, 웃자고 붙인 제목이기도 하다.

농촌사회학을 한다더니 밥상도 농촌의 밥상처럼 차려 먹는다고도 하고, 근래 한국에 열풍인 '레트로'의 일환인 줄 아는 사람들도 있었다. 실체는 좀 달랐다. 식탁에 널브러진 자료와 노트북을 한구석으로 밀고 밥상을 차리는 것이 싫었다. 일을 하는 것인지 밥을 먹는 것인지 구분이 되지 않았다. 그래도 먹고살자는 일인데 식사 공간이라도 제대로 있었으면 했다. 그래서 식사 공간을 따로 만드는 궁여지책으로 양은 밥상을 택했을 뿐이다. 게다가 반복적인 가사 노동과 집필 노동으로 손목이 온전치 못하여 살림살이는 가벼운 것이 무조건 좋다. 우아한 도자기 그릇에 담아 먹는 미디어 속의 음식들은 내게 눈요깃거리일 뿐이다.

아이들의 매 끼니를 챙기는 일의 괴로움을 잘 알기에 학교급식은 내게 가장 귀한 제도이다. 그래서 학교급식에 대해 때로는 과한 예찬을 하기도 하고 급식을 만드는 조리 노동자들과 생산자들의 더딘 처우 개선에 핏대를 올리는 글을 써 왔다. 내 아이들이 먹는 밥이기도 하여 좀 더 잘 먹여야 한다는 사심도 잔뜩 담았다.

안타까운 마음에 몇몇 사람들의 행장도 남겼다. 험한 곳에서 일을 하는 이들은 왜 그토록 쉽게 목숨을 잃는 것일까. 행장이라 할 것도 없을 만큼 생이 너무 짧거나 적어 둘 만한 사회적 행적이 없던 이들이었다. 고작 스무 살 언저리의 청년들이 지하철 안전문을 고치다가, 대형마트의 냉방기와 무빙워크를 고치다가 목숨을 잃었다. 하도급 업체에 소속된 이 청년들은 자신의 죽음조차도 재하청되기 일쑤였다. 늘 본사는 책임을 회피하였고 이런 죽음이 겹겹이 쌓이면 그제야 사회는 조금 움직였다. 고령이어도 손에서 일을 놓지 못하고 농사를 짓거나 폐지를 줍고 품을 팔다가 건강도 목숨도 잃는 노인들의 이야기도 적었다. 건강을 위해 하는 소일이 아니라 생존을 걸고 하는 일이었다. 머리띠를 두르고 구호를 외칠 용기는 없었고, 그저 적는 일로 소임을 삼았다. 하지만 어느 순간 죽음에 대한 기록도 쌓이면서 글감으로 이런 죽음을 기다렸던 것은 아닌지 흠칫 놀랄 때가 많다. 글을 돈으로 교환해서 먹고사는 입장에서 죽음을 아이템으로 삼은 것은 아닌지 말이다. 그래서 이 작업에 스스로 정당성을 부여하기 어렵다는 것도 미리 고백하고 용서를 구한다. 그저 적어 두는 일로 보속을 실천하고 있으니, 이 밖에 알아내지 못한 오류와 미진함도 너그러이 눈감아 주기를 바랄 뿐이다.

밥은 먹고 다니냐는 말
농촌사회학자 정은정의 밥과 노동, 우리 시대에 관한 에세이

초판 1쇄 발행 2021년 10월 18일
초판 5쇄 발행 2024년 11월 1일

지은이 정은정 펴낸이 오은지
책임편집 변홍철
편집 오은지 변우빈 디자인 김은영
펴낸곳 도서출판 한티재

등록 2010년 4월 12일 제2010-000010호
주소 42087 대구시 수성구 달구벌대로 492길 15 전화 053-743-8368
팩스 053-743-8367 전자우편 hantibooks@gmail.com
블로그 blog.naver.com/hanti_books
한티재 온라인 책창고 hantijae-bookstore.com

ISBN 979-11-90178-71-6 03330

책값은 뒤표지에 있습니다.